DUCHOWE ŻYCIE ZWIERZĄT

PETER WOHLLEBEN

DUCHOWE ŻYCIE ZWIERZĄT

TŁUMACZENIE EWA KOCHANOWSKA

OTWARTE

KRAKÓW 2017

Tytuł oryginału: *Das Seelenleben der Tiere. Liebe, Trauer, Mitgefühl –
erstaunliche Einblicke in eine verborgene Welt*
by Peter Wohlleben

© 2016 by Ludwig Verlag,
a division of Verlagsgruppe Random House GmbH, München, Germany

Copyright © for the translation by Ewa Kochanowska

Opieka redakcyjna: Olga Orzeł-Wargskog

Konsultacja terminologii przyrodniczej: dr Mikołaj Golachowski

Opracowanie typograficzne książki: Daniel Malak

Adiustacja: Maria Armata / Wydawnictwo JAK

Korekta: Anna Kopeć-Śledzikowska / Wydawnictwo JAK,
Joanna Hołdys / Wydawnictwo JAK

Łamanie: Andrzej Choczewski / Wydawnictwo JAK

Projekt okładki, wyklejki i ozdobniki w książce: Eliza Luty

Fotografia autora: © Miriam Wohlleben

ISBN 978-83-7515-435-1

OTWARTE
www.otwarte.eu

Dystrybucja: SIW Znak. Zapraszamy na www.znak.com.pl

SPIS TREŚCI

WPROWADZENIE

Koguty okłamujące kury? Łanie pogrążone w żałobie?
Zawstydzone konie? Jeszcze przed kilku laty można by to
uznać za przejaw fantazji, życzeniowego myślenia miłośników zwierząt, pragnących komunii dusz ze swymi pod-
opiecznymi. Nie inaczej było ze mną, bo zwierzęta towarzy-
szą mi przez całe życie. I zawsze – czy chodziło o pisklaka
u moich rodziców, który mnie upatrzył sobie na mamusię,
czy kozy w leśniczówce, wesołym meczeniem uatrakcyjnia-
jące nam dzień, czy wreszcie o zwierzęta w lesie, które codziennie spotykam podczas obchodu rewiru – zawsze zadawałem sobie pytanie, co też się może dziać w ich głowach.
Czyżby faktycznie prawdziwe były od dawna powtarzane
twierdzenia nauki, że tylko my, ludzie, jesteśmy w stanie doświadczać pełnej gamy uczuć? Czy to możliwe, że przyroda
specjalnie dla nas wypracowała wyjątkową biologiczną drogę, która jako jedyna gwarantuje świadome, spełnione życie?

Gdyby tak było, moja książka tu by się skończyła. Bo gdyby człowiek był czymś szczególnym w sensie konstrukcji biologicznej, to nie mógłby się porównywać z innymi gatunkami. Współczucie wobec zwierząt nie miałoby sensu, bo nie bylibyśmy w stanie nawet w przybliżeniu zgadnąć, co też się dzieje w ich wnętrzu. Jednak szczęśliwie natura zdecydowała się na wariant oszczędnościowy. Ewolucja „tylko" przebudowywała i modyfikowała to, czym dysponowała w danej chwili, podobnie jak ma to miejsce w systemach komputerowych. I tak jak w Windows 10 są jeszcze aktywne funkcje z poprzednich wersji, tak samo w nas działają programy genetyczne naszych przodków. I we wszystkich innych gatunkach, których drzewo pochodzenia w ciągu milionów lat oddzieliło się od wspólnej linii. Dlatego też nie ma według mnie dwojakiego rodzaju żałoby, bólu czy miłości. Nie wątpię, że zuchwale może zabrzmieć twierdzenie, że świnia czuje tak samo jak my. Jednak prawdopodobieństwo, że zranienie nie wywoła u niej tak nieprzyjemnych odczuć jak u nas, jest bliskie zeru. „Chwila, moment! – mogą teraz zawołać uczeni. – To jeszcze wcale nie jest dowiedzione". Zgadza się, bo tego nigdy nie da się dowieść. To, czy czujecie tak samo jak ja, też jest tylko teorią. Nikt nie jest w stanie wczuć się w drugiego człowieka, nikt nie może dowieść, że ukłucie igłą wywoła identyczne odczucia u każdego z siedmiu miliardów mieszkańców Ziemi. Jednak ludzie potrafią ujmować swoje uczucia w słowa, a wynik tych przekazów zwiększa prawdopodobieństwo, że na płaszczyźnie uczuć i doznań wszyscy jesteśmy podobni.

Również nasza suka Maxi, która wrąbała w kuchni pełną miskę pyz, po czym przybrała minę niewiniątka, nie była biologiczną maszyną wszystkożerną, tylko rozbrajającym cwaniakiem kutym na cztery nogi. Im częściej i im dokładniej przypatruję się otoczeniu, tym więcej emocji zarezerwowanych rzekomo jedynie dla ludzi odkrywam u naszych zwierząt domowych i ich dzikich krewniaków w lesie. I nie jestem w tym odosobniony. Coraz więcej leśników dochodzi do wniosku, że wiele gatunków zwierząt dzieli z nami niektóre cechy. Prawdziwa miłość między krukami? Uznajemy ją za pewnik. A co z wiewiórkami, które znają swych krewniaków po imieniu? Od dawna udokumentowane. Gdziekolwiek spojrzeć, wszędzie kwitnie miłość, panuje współczucie i buzuje radość życia. Zdążyła się już też pojawić spora liczba prac naukowych dotyczących tej tematyki, jednak zajmują się one jedynie cząstkowymi aspektami zagadnienia i często napisane są tak suchym językiem, że nie nadają się specjalnie do odprężającej lektury, no i przede wszystkim do lepszego zrozumienia problemu. Z tej właśnie przyczyny chciałbym wystąpić tu jako wasz tłumacz, przełożyć te fascynujące wyniki badań na język codzienny, poskładać rozsypane puzzle w spójną całość i przyprawić szczyptą własnych obserwacji. W rezultacie otrzymamy obraz otaczającego nas świata zwierząt, w którym opisane gatunki zmienią się z tępych biorobotów, napędzanych sztywnym kodem genetycznym, w wierne dusze i uroczych łobuziaków. Bo one takie właśnie są, co możecie zobaczyć podczas spaceru po moim rewirze, wizyty u naszych kóz, koni i królików czy w parkach i lasach w waszej okolicy. No to jak – idziemy?

MIŁOŚĆ MACIERZYŃSKA
DO OSTATNIEGO TCHU

Był gorący letni dzień 1996 roku. Dla ochłody ustawiliśmy z żoną brodzik ogrodowy pod cienistym drzewem. Rozsiadłem się wraz z obojgiem moich dzieci w wodzie i zajadaliśmy ze smakiem soczyste plastry arbuza. Nagle zarejestrowałem kątem oka jakieś poruszenie. Coś rudego kicało w naszą stronę, ale co i rusz nieruchomiało na moment. „Wiewiórka!", wykrzyknęły zachwycone dzieci. Moja radość ustąpiła jednak szybko miejsca głębokiemu zaniepokojeniu, bo wiewiórka po kilku susach przewróciła się na bok. Najwyraźniej była chora, a po kilku kolejnych susach (w naszą stronę!) zobaczyłem na jej szyi pokaźne obrzmienie. Według wszelkich danych mieliśmy do czynienia z cierpiącym, może nawet dotkniętym wysoce zakaźną chorobą zwierzęciem. A ono powoli, ale zdecydowanie zmierzało w stronę brodzika. Już chciałem dać dzieciom sygnał do odwrotu, gdy raptem sytuacja uległa zmianie i przerodziła się we wzruszającą scenkę – wrzód na szyi okazał się wiewiórczęciem, które niczym futrzany kołnierz oplatało szyję matki. Ta ledwie mogła oddychać, co w połączeniu z zabójczym upałem powodowało, że za każdym razem tchu jej starczało na zrobienie ledwie paru kroków, aż w końcu wyczerpana padła na bok i z najwyższym trudem łapała oddech.

Wiewiórcze matki z poświęceniem troszczą się o potomstwo. W razie niebezpieczeństwa dźwigają swoje młode w opisany sposób w bezpieczne miejsce. Zwierzęta porządnie muszą się przy tym namęczyć, bo w miocie może być do sześciu malców, a każdego z nich samica transportuje obwiniętego wokół swojej szyi. Mimo tej pieczy współczynnik przeżywalności młodych jest niewielki, około osiemdziesięciu procent nie dożyje dnia pierwszych urodzin. Choć raczej trzeba tu mówić o nocach – za dnia rude skrzaty potrafią umknąć większości swych wrogów, we śnie nadchodzi śmierć. To wtedy kuny leśne wspinają się po gałęziach i zaskakują śpiące zwierzęta. Za to pod słonecznym niebem krążą jastrzębie, które śmigają brawurowym lotem między pniami drzew, wypatrując smacznego posiłku. Gdy dojrzą wiewiórkę, rozpoczyna się spirala śmierci. I należy to rozumieć dosłownie. Bo wiewiórka próbuje uciec ptakowi, znikając po drugiej stronie drzewa. Jastrząb zaś bierze ciasny zakręt, ścigając swą zdobycz. Wiewiórka w mgnieniu oka ponownie skrywa się za drzewem, ptak ją goni i w ten sposób oba zwierzęta w zawrotnym tempie wirują po spirali wokół pnia. Wygrywa zwinniejszy i jest nim przeważnie maleńki ssak.

Jednak wrogiem o wiele groźniejszym niż jakiekolwiek zwierzę jest zima. By się odpowiednio zabezpieczyć na zimną porę roku, wiewiórki budują wiewiórniki. To kuliste gniazda, zakładane w rozwidleniach gałęzi w koronach drzew. Zwierzątka własnymi łapkami formują dwa wyjścia, żeby móc uciec przed niemiłymi a niezapowiadanymi gośćmi. Podstawową konstrukcję wiewiórnika tworzy wiele małych gałązek, wewnątrz mieszkanko wysłane jest miękkim mchem. Służy to izolacji cieplnej i wygodzie. Wygodzie? Tak, bo również zwierzęta przykładają wagę do komfortu. Gałęzie, które podczas snu kłują w plecy, są dla wiewiórek równie nieprzyjemne jak dla nas. A miękki materac z mchu gwarantuje błogi sen.

Z okna mojego biura regularnie obserwuję, jak wiewiórki wyskubują miękką trawę z naszego trawnika i transportują wysoko na drzewa. I jeszcze coś zaobserwowałem – gdy tylko jesienią zaczynają spadać z drzew żołędzie i orzeszki bukowe, zwierzątka zbierają pożywne nasiona i zakopują je w ziemi parę metrów dalej. W zimie posłużą jako zapasy. Wiewiórki nie zapadają bowiem w prawdziwy sen zimowy (hibernację), lecz przeważnie spędzają dnie na drzemce, w stanie spoczynku zimowego. Organizm zużywa wówczas mniej energii, ale nie spowalnia całkiem procesów życiowych, jak to się dzieje na przykład u jeży. Wiewiórka budzi się co pewien czas i robi się głodna. Zbiega wtedy zwinnie z drzewa i szuka jednej ze swych licznych spiżarek. I szuka, i szuka, i szuka. W pierwszej chwili śmiesznie to wygląda, gdy widzimy, jak zwierzątko usiłuje sobie przypomnieć, gdzie jest schowek. Tu trochę pogrzebie w ziemi, tam wykopie dołek, a w międzyczasie co chwila przysiada na łapkach, jak gdyby chciało się przez moment zastanowić. Ale to zbyt trudne zadanie – przecież krajobraz od jesieni wizualnie mocno się zmienił. Drzewa i krzewy straciły liście, trawa uschła, a na domiar złego często jeszcze śnieg opatulił wszystko maskującą białą watą. I gdy tak patrzę na zrozpaczoną wiewióreczkę wytrwale szukającą spiżarki, ogarnia mnie współczucie. Bo natura właśnie dokonuje bezwzględnej selekcji i większość zapominalskich gryzoni, przeważnie z tegorocznych miotów, nie dożyje wiosny, jako że do tego czasu umrze z głodu. Potem znajduję czasem w starych rezerwatach bukowych małe grupki kiełkujących buczków. Bukowa dziatwa wygląda jak motyle na cieniutkich łodyżkach, a zwykle spotyka się je wyłącznie pojedynczo. W grupach występują tylko wtedy, gdy wiewiórki nie pozabierają zakopanych wcześniej orzeszków – nierzadko z zapominalstwa z opisanymi fatalnymi skutkami dla zwierzęcia.

Wiewiórka jednak jest dla mnie znakomitym przykładem tego, w jaki sposób kategoryzujemy świat zwierząt. Z czarnymi oczkami jak guziczki jest przesłodka, ma miękkie, urzekająco rude futerko (istnieją też brązowoczarne odmiany) i nie jest groźna dla ludzi. Z zapomnianych składów żołędzi strzelają na wiosnę młode drzewka, więc można by ją uznać również za założycielkę nowych lasów. Krótko mówiąc, wiewiórka budzi naszą szczerą sympatię. Przymykamy przy tym chętnie oczy na jej ulubione danie – pisklęta. Bo i takie łupieżcze wyprawy obserwuję przez okno w biurze leśniczówki. Gdy wiosną wiewiórka wspina się po pniu, niewielka kolonia kwiczołów gniazdujących na starych sosnach przy wjeździe wpada w popłoch. Ptaki kłapią dziobami i skrzeczą, krążąc lotem wiosłującym wokół drzewa i starając się przepędzić intruza. Wiewiórki to ich śmiertelni wrogowie, bo niewzruszenie wybierają z gniazda jednego puchatego pisklaka po drugim. W dziuplach maluchy też nie są w pełni bezpieczne, ponieważ smukłe łapki wiewiórek, uzbrojone w długie ostre pazury, wyławiają na pozór dobrze chronione pisklęta nawet z wypróchniałych drzew.

Czy więc wiewiórki są raczej złe niż dobre? Ani to, ani to. Kaprys natury sprawił, że przemawiają do naszego instynktu opiekuńczego i w ten sposób budzą pozytywne emocje. Nie ma to nic wspólnego z dobrocią bądź użytecznością. Druga zaś strona medalu, zabijanie równie przez nas kochanych ptaków śpiewających, także nie jest złem. Zwierzęta są głodne, muszą też dbać o swoje młode, zdane na odżywcze mleko matki. Gdyby wiewiórki zaspokajały swe zapotrzebowanie na białko gąsienicami bielinka kapustnika, bylibyśmy zachwyceni. Nasz bilans emocjonalny wypadałby wówczas w stu procentach pozytywnie, bo te szkodniki niszczą nam uprawy warzyw. Jednakże gąsienice bielinka kapustnika również są młodymi zwierzątkami, w tym wypadku dziećmi motyli. I tylko z tego powodu, że przypadkiem gustują w tych samych roślinach, które znalazły się w naszym jadłospisie, zabijanie motylich dzieci nie stanie się nagle dobrodziejstwem dla natury.

Wiewiórek zresztą nie obchodzi ani na jotę nasza kategoryzacja świata. Mają wystarczająco dużo roboty, troszcząc się o przeżycie i przedłużenie gatunku, a przy tym przede wszystkim dbając o jedno – o radość z życia. Ale wróćmy do miłości macierzyńskiej u rudych skrzatów – czy mogą faktycznie coś podobnego odczuwać? Miłość tak silną, że życie potomstwa staje się ważniejsze niż własne? Czy nie jest to tylko skutek wyrzutu hormonów, buzujących w ich żyłach i inicjujących zaprogramowaną troskliwość? Nauka skłania się do tego, by podobne procesy biologiczne degradować do mechanizmów przymusowych. Ale zanim z cokolwiek może przesadną rzeczowością zapakujemy wiewiórkę i inne gatunki do takiej szuflady, rzućmy okiem na miłość macierzyńską u ludzi. Co dzieje się w organizmach matek, gdy trzymają w ramionach niemowlę? Czy miłość macierzyńska jest wrodzona? Odpowiedź nauki brzmi – tak. To znaczy nie. Ta miłość nie jest wrodzona, wrodzone są tylko uwarunkowania jej powstania. Tuż przed porodem następuje wyrzut hormonu, oksytocyny, umożliwiającego stworzenie silnej więzi. Dodatkowo uwalniane są duże ilości endorfin, które łagodzą ból i uśmierzają strach. Po porodzie koktajl hormonalny nadal znajduje się we krwi i dzięki temu bobasa wita całkowicie odprężona, pozytywnie nastawiona matka. Karmienie piersią podkręca produkcję oksytocyny i więź między matką a dzieckiem się wzmacnia. Podobnie dzieje się u wielu gatunków zwierząt, także u kóz, które hodujemy w leśniczówce (i które zresztą również produkują oksytocynę). Kozie mamy zaczynają zaznajamiać się z koźlętami, zlizując z nich maź porodową. Procedura ta wzmacnia wzajemne więzi, matka meczy przy tym czule, a dzieci odpowiadają jej wysokim, cieniutkim głosikiem, tak że zapamiętują wzajem swoje głosy.

Jednak biada, jeśli procedura zlizywania mazi nie dojdzie do skutku! Zwierzęta w naszym stadku zawsze trafiają przed porodem do oddzielnego boksu, żeby mogły urodzić w spokoju. Drzwi boksu mają mały prześwit tuż nad ziemią i podczas jednego z porodów przez ten prześwit wyśliznęło się wyjątkowo małe koźlątko. Zanim odkryliśmy katastrofę, minął cenny czas i maź zdążyła już obeschnąć.

W konsekwencji mimo wszelkich naszych starań kozia matka nie przyjęła koźlęcia, a miłość matczyna nie mogła się rozwinąć. U ludzi często dzieje się podobnie – jeśli noworodki w szpitalach są przez dłuższy czas po porodzie odseparowane od matek, wzrasta prawdopodobieństwo, że miłość macierzyńska się nie pojawi. Nie jest ono jednak tak wysokie i nie ma tak dramatycznych skutków jak u kóz, ponieważ ludzie potrafią się tej miłości nauczyć i nie są zdani wyłącznie na hormony. W przeciwnym wypadku niemożliwe byłyby adopcje, w których obce sobie matki i dzieci spotykają się często dopiero lata całe po porodzie.

Adopcje są dlatego najlepszą sposobnością, żeby sprawdzić, czy miłości macierzyńskiej można się nauczyć i czy nie jest ona tylko odruchem instynktownym. Jednak zanim dokładnie zbadamy to zagadnienie, chciałbym najpierw omówić jakość instynktów.

INSTYNKTY – UCZUCIA DRUGIEGO SORTU?

Często słyszę, że porównania uczuć zwierzęcych i ludzkich do niczego nie prowadzą, bo koniec końców zwierzęta zawsze działają i czują w sposób instynktowny, my natomiast w świadomy. Zanim zaczniemy rozważać, czy działanie instynktowne jest czymś poślednim, przyjrzyjmy się, czym w ogóle są instynkty. Przez to pojęcie nauka rozumie reakcje, które przebiegają w sposób nieświadomy, czyli nie podlegają procesom myślowym. Mogą być zakodowane genetycznie lub wyuczone; wspólną cechą ich wszystkich jest to, że przebiegają bardzo szybko, ponieważ omijają procesy kognitywne w mózgu. Często wszystko zaczyna się od hormonów, których wyrzut następuje z konkretnych powodów (jak na przykład gniew) i które inicjują reakcje w organizmie. Czy zwierzęta są zatem w pełni automatycznie sterowanymi biorobotami? Zanim pochopnie wydamy osąd, powinniśmy bliżej się przyjrzeć własnemu gatunkowi. My również nie jesteśmy wolni od działań instynktownych, wręcz przeciwnie. Wyobraźcie sobie na przykład rozgrzaną płytę kuchenki. Jeśli niechcący położymy na niej rękę, to błyskawicznie szarpniemy ją z powrotem. Nie przeprowadzimy uprzednio świadomej analizy w stylu: „Coś tu podejrzanie pachnie smażonym mięsem, a mnie nagle zaczęła piec ręka. Chyba powinienem ją czym prędzej stąd zabrać". Nie, cała akcja przebiegnie automatycznie, bez podejmowania świadomych decyzji. Instynkty działają więc także u ludzi; pytanie brzmi tylko, w jak dużym stopniu wpływają na przebieg dnia codziennego.

Chcąc rzucić nieco światła na ten problem, powinniśmy zainteresować się najnowszymi badaniami mózgu. Instytut im. Maxa Plancka w Lipsku opublikował w pewnej rozprawie z 2008 roku zdumiewające doniesienie. Za pomocą tomografów rezonansu magnetycznego, które pozwalają śledzić w komputerze czynności mózgu, obserwowano grupę osób w trakcie podejmowania decyzji (poprzez przyciśnięcie guzika lewą lub prawą ręką). Już do siedmiu sekund przed podjęciem przez badanych świadomego postanowienia można było bez trudu zobaczyć na obrazach czynności mózgu, jak będzie ono wyglądać. Sama czynność była już więc zainicjowana, podczas gdy badani jeszcze się zastanawiali, co powinni wybrać. Widać zatem, że to nie świadomość, lecz podświadomość dawała impuls do podjęcia czynności. Świadomość dostarczała tylko, rzec by można, uzasadnienia kilka sekund później.

Jako że studia nad tego typu procesami znajdują się jeszcze w powijakach, nie można dzisiaj powiedzieć, ile procent decyzji – i jakiego rodzaju – podejmuje się w opisany sposób oraz czy możemy się jakoś bronić przed procesami zakodowanymi w podświadomości. Bądź co bądź wystarczające zdumienie budzi fakt, że tak zwana wolna wola niejednokrotnie nie nadąża za rzeczywistością. Właściwie dostarcza ona tylko usprawiedliwienia naszemu przewrażliwionemu ego, które – utwierdzone w ten sposób – za każdym razem czuje się suwerennym panem sytuacji[1].

A jednak w wielu przypadkach rządzi, jak widać, przeciwieństwo, czyli nasza podświadomość. W ostatecznym rozrachunku jest rzeczą obojętną, w jakiej mierze umysł rządzi nami świadomie. Przypuszczalnie zaskakująco wysoki procent reakcji instynktownych dowodzi bowiem tylko jednej rzeczy – przeżywania strachu i żałoby, radości i szczęścia nie zakłóca fakt, że wyzwalają się one instynktownie, to jedynie dowód na to, że ich uruchomienie nie następuje w wyniku świadomej decyzji. Nie ujmuje to w najmniejszej mierze intensywności tym uczuciom. Bo najpóźniej w tym momencie musimy przyznać, że emocje są językiem podświadomości, która dzień w dzień służy nam pomocą, byśmy nie zatonęli w potopie informacji. Ból ręki dotykającej rozgrzanej płyty kuchennej każe wam natychmiast zareagować. Uczucie szczęścia wzmacnia pozytywne działania. Strach chroni przed rozumowym podjęciem takiej decyzji, która mogłaby się okazać niebezpieczna. Tylko nieliczne problemy, które faktycznie mogą i powinny być rozwiązane w drodze refleksji, przenikają do naszej świadomości i są tam w spokoju analizowane.

Uczucia są zatem z samej zasady sprzężone z podświadomością, nie zaś ze świadomością. Gdyby zwierzęta nie miały tej ostatniej, oznaczałoby to tylko tyle, że nie są w stanie zastanawiać się nad czymkolwiek. Podświadomością natomiast dysponuje każdy gatunek, a ponieważ musi ona spełniać rolę sterującą, każde zwierzę z definicji musi mieć również uczucia. Instynktowna miłość macierzyńska w ogóle nie może być więc drugiego sortu, bo innego jej rodzaju po prostu nie ma. Jedyna różnica między zwierzętami a ludźmi polega na tym, że my potrafimy świadomie ją uruchomić (a także inne uczucia) – na przykład w przypadku adopcji. Nie istnieje tu więc między rodzicami a dzieckiem zrodzona automatycznie w sytuacji porodu, ponieważ pierwsze kontakty nawiązują się nierzadko dopiero o wiele później. Mimo to w miarę upływu czasu pojawia się instynktowna miłość macierzyńska wraz z przynależnym koktajlem hormonów we krwi.

Czy zatem udało się nam wreszcie znaleźć ludzką enklawę emocjonalną, do której zwierzęta nie mają dostępu? Przyjrzyjmy się w tym celu raz jeszcze naszej wiewiórce. Badacze kanadyjscy obserwowali przez ponad dwadzieścia lat jej krewniaków nad Jukonem. Przedmiot studiów stanowiło około siedmiu tysięcy zwierząt i chociaż wiewiórki są samotnikami, to doszło do pięciu przypadków adopcji. Zawsze jednak były to spokrewnione wiewiórczęta, które wychowały obce matki. Adoptowano wyłącznie bratanków i bratanice, siostrzeńców i siostrzenice oraz wnuczęta, co dowodzi, że granice wiewiórczego altruizmu są wyraźnie zakreślone. Z czysto ewolucyjnego punktu widzenia przynosi to korzyść, ponieważ można wówczas zachować i przekazać dalej bardzo podobny zespół cech dziedzicznych[2]. Ponadto pięć przypadków adopcji w ciągu dwudziestu lat raczej nie stanowi niepodważalnego dowodu na postawę zasadniczo przyjazną adopcjom. Rozejrzyjmy się więc po innych gatunkach.

Jak tam sprawa wygląda u psów? W 2012 roku na pierwsze strony gazet trafiła buldożka francuska Baby. Mieszkała w schronisku dla starych zwierząt w Brandenburgii i pewnego dnia przyniesiono tam sześć warchlaczków. Locha została przypuszczalnie zastrzelona przez myśliwych, a pozostawione samym sobie pasiaste maluchy nie miały najmniejszych szans na przeżycie. W schronisku dostały tłuste mleko – i miłość. Mleko pochodziło z butelek opiekunów, natomiast miłość i ciepło zapewniła Baby. Buldożka z miejsca zaadoptowała całe stadko, które wtulone w nią zasnęło. W ciągu dnia również czujnie pilnowała gromadki łobuziaków[3]. Czy to prawdziwa adopcja? Ostatecznie nie karmiła warchlaków piersią, ale i w wypadku ludzkich adopcji to się nie zdarza. Abstrahując od tego, istnieją relacje dotyczące psów, jak np. kubańskiej suki imieniem Yeti, która to akurat robiła. Jej własne szczeniaki już rozdano, z wyjątkiem jednego, tak że miała jeszcze dużo mleka. A ponieważ równocześnie w gospodarstwie kilka świń miało małe, Yeti bez namysłu adoptowała czternaścioro prosiąt, chociaż ich matki żyły. Maluchy podążały za nową mamą po obejściu, a przede wszystkim – ssały ją[4].

Czy to była świadoma adopcja? A może Yeti miała za dużo uczuć macierzyńskich i po prostu projektowała je na prosiaczki? Takie same pytania możemy zadać również w przypadku ludzkich adopcji, kiedy silne uczucia szukają ujścia i je znajdują. Nawet trzymanie psów i innych zwierząt domowych można porównać z adopcjami między różnymi gatunkami zwierząt – w końcu rozmaite czworonogi są przyjmowane do ludzkich wspólnot jako niemal pełnoprawni członkowie rodzin.

Istnieją jednak jeszcze inne przypadki, kiedy to za motywację do działania nie odpowiada nadmiar hormonów czy też zbyt duża ilość mleka. Wzruszającym przykładem jest tu wrona o imieniu Mojżesz, ale najpierw dwa słowa tytułem wstępu. Gdy ptaki tracą lęg, dysponują jeszcze jedną, daną im przez naturę, szansą wyładowania niewyżytych instynktów – mogą po prostu zacząć od nowa i ponownie złożyć jaja. Taka więc pojedyncza wrona jak Mojżesz nie ma żadnego powodu do matkowania innym zwierzętom. A do tego jeszcze Mojżesz wyszukał sobie akurat potencjalnego wroga – kota domowego. Fakt, kociątko było naprawdę malutkie i dość bezradne, bo najwyraźniej straciło matkę i od dawna już mało co jadło. Zabłąkane zwierzątko pojawiło się w ogrodzie Ann i Wally'ego Collito. Mieszkali oni w domku w North Attleboro w Massachusetts i od tamtej chwili zyskali możliwość czynienia zdumiewających obserwacji. A to dlatego, że do kociątka dołączyła wrona, która najwyraźniej zaopiekowała się kocim dzieckiem. Ptak karmił sierotkę dżdżownicami i chrząszczami, na co naturalnie państwo Collito nie mogli patrzeć bezczynnie i zaoferowali kociakowi odpowiedni pokarm. Przyjaźń między wroną a dorosłą już domową tygrysicą trwała aż do chwili, gdy pięć lat później ptak gdzieś zniknął[5].

Wróćmy jednakże do instynktów. To, czy uczucia macierzyńskie są wyzwalane przez rozkazy podświadomości, czy też przez świadomą refleksję, nie stanowi moim zdaniem jakościowej różnicy. Ostatecznie w obu wypadkach są tak samo odczuwane (!). Nie ulega wątpliwości, że u ludzi mamy do czynienia z jednym i drugim, przy czym instynkty rozbudzane hormonalnie stanowią zapewne częstszy wariant.

Nawet jeśli zwierzęta nie są w stanie świadomie uruchomić w sobie miłości macierzyńskiej (tu jednak adopcja maluchów innego gatunku powinna nas skłonić do refleksji), to pozostaje opcja podświadoma, a ta jest co najmniej tyleż piękna, co intensywna. Wiewiórka przenosząca swoje uczepione u szyi dziecko przez rozpalony słońcem trawnik czyni to z głębokiej miłości – przez co scena ta we wspomnieniach staje się dla mnie jeszcze piękniejsza.

O MIŁOŚCI DO LUDZI

Czy zwierzęta mogą nas naprawdę kochać? Na przykładzie wiewiórki zdążyliśmy zobaczyć, jak trudno jest zweryfikować to uczucie już choćby wśród zwierząt tego samego gatunku. Ale miłość wyrastająca ponad granice gatunków – i do tego jeszcze akurat do nas, do ludzi? Trudno oprzeć się wrażeniu, że mamy tu do czynienia z myśleniem życzeniowym w czystej formie, ułatwiającym akceptację faktu, że trzymamy w niewoli zwierzęta domowe.

Przyjrzyjmy się najpierw raz jeszcze miłości między matką a dzieckiem. Rzeczywiście potrafimy wzbudzić jej szczególnie silną odmianę, z czym mogłem się zapoznać już jako nastolatek.

Już wtedy moje zainteresowania ogniskowały się wokół przyrody i środowiska naturalnego, więc każdą wolną chwilę spędzałem w lesie lub nad jeziorami powstałymi na terenie dawnych wyrobisk piasku nieopodal Renu. Naśladowałem kumkanie żab, by sprowokować je do odpowiedzi, w słoikach na przetwory trzymałem przez pewien czas pająki, by je obserwować, i hodowałem mączniki młynarki, by zobaczyć, jak się przeistaczają w czarne chrząszcze. A wieczorami rozczytywałem się w książkach o etologii (bez obaw – dzieła Karola Maya i Jacka Londona też leżały na mojej szafce nocnej). W jednej z nich przeczytałem, że pisklętom można wdrukować również obraz człowieka jako matki. W tym celu należy jedynie wysiedzieć jajko i tuż przed wykluciem się pisklaka „rozmawiać" z nim, żeby małe stworzonko już wówczas trwale uznało za matkę tę właśnie osobę, a nie ptasią samicę. Ta więź przetrwa całe życie. Niesamowite! Mój ojciec hodował wówczas w ogrodzie kilka kur i koguta i w ten sposób miałem dostęp do zapłodnionych jaj. Nie miałem jednak wylęgarki, tak więc musiała mi starczyć stara poduszka elektryczna. Ale problem polegał na tym, że temperatura wylęgania dla kurzych jaj wynosi 38 stopni, jaja zaś trzeba codziennie wielokrotnie obracać i za każdym razem troszkę się wychładzają. To, w czym kwoka z natury jest mistrzynią, dla mnie oznaczało mozolne kombinacje z użyciem szalika i termometru. Przez dwadzieścia jeden dni mierzyłem temperaturę, drapowałem raz więcej, raz mniej warstw szalika na jajku, pieczołowicie je obracałem, a na kilka dni przed wyliczoną datą lęgu zabrałem się do rozmów sam ze sobą. I faktycznie – punktualnie dwudziestego pierwszego dnia maleńki kłębek puchu wydziobał sobie drogę na wolność i natychmiast został przeze mnie ochrzczony Robin Hoodem.

Trudno uwierzyć, jak słodki był ten pisklak! Żółte piórka miał nakrapiane, czarne oczka jak guziczki wpatrywały się we mnie. Nie odstępował mnie ani na krok, a gdy zdarzyło mi się gdzieś zniknąć, od razu rozlegało się trwożliwe popiskiwanie. Robin zawsze był ze mną, wszystko jedno, czy w toalecie, przed telewizorem czy koło łóżka. Tylko gdy szedłem do szkoły, z ciężkim sercem zostawiałem malucha samego, ale tym goręcej byłem za każdym razem witany po powrocie. Jednak ta głęboka więź coraz bardziej mi ciążyła. Mój brat zlitował się nade mną i co pewien czas przejmował opiekę nad Robinem, żebym mógł czasem zrobić coś bez niego, lecz w końcu i brat miał już dosyć. Robin, który tymczasem wyrósł na młodą kurę, powędrował do byłego nauczyciela angielskiego, ogromnego miłośnika zwierząt. Mężczyzna i kura szybko się zaprzyjaźnili i jeszcze przez długi czas widywano oboje na spacerach w sąsiedniej wiosce – nauczyciela na własnych nogach, a Robina na jego ramieniu.

Można uznać za dowiedzione, że Robin nawiązał prawdziwą więź uczuciową. Podobne historie może opowiedzieć każdy hodowca, który zastępował młodym zwierzętom matkę. Jagnięta, chowane na butelce przez moją żonę, przez całe życie były do niej bardzo przywiązane. Człowiek odgrywa tu rolę matki zastępczej, co zawsze wzrusza. Jednak ta więź nie jest taka całkiem dobrowolna, przynajmniej ze strony zwierzęcia, nawet jeśli zawdzięcza jej życie. O ileż piękniej by było, gdyby stworzonko przywiązało się do nas z własnej woli i chciało zostać z nami. Ale czy takie zjawisko w ogóle istnieje?

Żeby to sprawdzić, musimy porzucić temat miłości matczynej i rozejrzeć się szerzej za podobnymi więzami. W końcu każde zwierzę powinno dorosnąć, a tym samym być w stanie samodzielnie zadecydować, czy chce nam towarzyszyć, czy też raczej woli pozostać niezależne. Nie bez powodu wiele kotów i psów trafia do nas jako kocie czy psie niemowlaki – umyślnie odbieramy tym szkrabom możliwość jakiejkolwiek decyzji. I należy to rozumieć jak najbardziej pozytywnie – po kilku dniach adaptacji, być może odczuwania niewielkiej tęsknoty za mamą, parotygodniowe zwierzątka szybko przywiązują się do nowego opiekuna, a takie więzi, podobnie jak w wypadku jagniąt chowanych na butelce, odznaczają się przez całe życie szczególną intensywnością. Wszyscy świetnie się czują, a mimo to pozostaje pytanie – czy dorosłe zwierzęta są w stanie dobrowolnie towarzyszyć człowiekowi?

W wypadku zwierząt domowych można bez wątpienia dać twierdzącą odpowiedź; istnieją niezliczone przykłady wałęsających się kotów i psów, które wręcz narzucają się troskliwym dwunogom. Jednak chcąc odpowiedzieć na powyższe pytanie, radziłbym przyjrzeć się dzikim zwierzętom, ponieważ one nie zostały obłaskawione drogą hodowli, a tym samym nie nabrały gotowości do towarzyszenia ludziom. I jeszcze jedno chciałbym od razu wykluczyć – obłaskawienie wskutek karmienia. A to dlatego, że dokarmiane dzikie zwierzęta chcą się po prostu najeść i z tego powodu, kiedy już się przyzwyczają, tolerują naszą obecność. Jak bardzo może to być uciążliwe, przekonali się nasi dawni sąsiedzi na przykładzie pewnej wiewiórki. Długie tygodnie przywabiali zwierzaka orzeszkami ziemnymi, tak że w końcu podchodził aż do otwartych drzwi na taras. Cieszyli się z małego skrzata, który stał się niemal członkiem rodziny. Ale biada, gdy ludzki dostawca karmy nie dość szybko stawiał się na zawołanie – bo wtedy wiewiór niecierpliwie drapał w futrynę i w ciągu ledwie paru tygodni zdołał ją zniszczyć. Pazury wiewiórki są ostre jak nóż.

Przyjaźń dzikich zwierząt z ludźmi spotykamy częściej na morzach – wśród delfinów. Wyjątkową gwiazdą jest Fungie, mieszkający w zatoce Dingle u wybrzeży Irlandii. Często się pokazuje, towarzyszy małym statkom wycieczkowym i kręci salta przed widzami, tak że stał się prawdziwym magnesem turystycznym, reklamowanym w oficjalnych broszurach. A nawet jeśli ktoś wskoczy do niego do wody, nie ma się czego bać – wielki morski ssak towarzyszy pływakom i w ten sposób zapewnia im doznanie szczęścia wyjątkowego rodzaju. Obłaskawienie tego zwierzęcia nie zasadza się na karmieniu, bo delfin je nawet odrzuca.

Bez Fungiego nie sposób sobie wyobrazić życia miasteczka Dingle już od ponad trzydziestu lat. Czy to nie wzruszające? Najwyraźniej nie dla wszystkich, bo dziennik „Die Welt" przeprowadził rozmowy z naukowcami, zadając im przy okazji pytanie, czy to zwierzę nie jest przypadkiem szalone. Być może ten oryginał przywiązał się do ludzi, bo żaden delfin go nie lubi?[6]

Pomijając fakt, że sympatia ludzi do zwierząt często wynika z podobnych powodów, czyli na przykład z samotności wywołanej utratą partnera, chciałbym jednak dalej szukać odpowiedzi na pytanie wśród rodzimych zwierząt lądowych. A nie jest to bynajmniej proste. Gdyż wspólną cechą charakterystyczną dzikich zwierząt jest właśnie to, że są dzikie i z tego powodu nie szukają zwykle kontaktów z ludźmi. Dodać trzeba jeszcze dziesiątki tysięcy lat, kiedy to człowiek polował na swych zwierzęcych krewniaków. Wykształciły więc na drodze ewolucji lęk przed nami – kto w porę nie ucieknie, temu grozi śmierć. I dla bardzo wielu zwierząt nic się po dziś dzień nie zmieniło, wystarczy rzucić okiem na listę gatunków zwierząt łownych. Nieważne, czy chodzi o duże ssaki, jak jeleń, sarna i dzik, czy o mniejsze czworonogi, jak lis i zając, czy też o ptaki, od krukowatych przez gęsi i kaczki po bekasowate – wszystkie giną rokrocznie tysiącami pod gradem kul. Pewna nieufność względem wszystkich dwunogów jest w tej sytuacji aż nadto zrozumiała. Tym piękniej, gdy tak podejrzliwe stworzenie się przełamuje i mimo wszystko szuka z nami kontaktu.

Co jednak mogłoby je do tego skłaniać? Wabienie pożywieniem się nie liczy, bo wtedy nie wiemy, czy powodem nie jest zwykły głód, który tłumi strach. Ale istnieje jeszcze inna siła, bardzo ważna również dla ludzi, a mianowicie ciekawość. I takie właśnie ciekawskie renifery moja żona Miriam i ja mieliśmy okazję poznać w Laponii. No dobrze, nie są one w pełni dzikie, bo ludność rdzenna, Samowie, hoduje je w stadach i za pomocą helikopterów oraz motocykli crossowych spędza w upatrzone miejsce, gdy chce wyselekcjonować zwierzęta na ubój lub do oznakowania. Niemniej jednak zachowały one charakter dzikich zwierząt i wobec ludzi są zwykle bardzo nieśmiałe. Spaliśmy w namiocie w górach na terenie Parku Narodowego Sarek i o poranku jako prawdziwy skowronek ja pierwszy wyczołgałem się ze śpiwora. Podziwiałem właśnie zapierający dech w piersiach krajobraz nietknięty ludzką ręką, gdy nagle odnotowałem jakiś ruch tuż koło mnie. Renifer! Jeden? Nie, kolejne renifery schodziły za nim ze zbocza, więc zbudziłem Miriam, żeby też mogła je zobaczyć. Podczas śniadania ciągle pojawiały się następne, aż wreszcie całe stado zebrało się wokół nas – około trzystu zwierząt. Przez cały dzień pozostawały w pobliżu naszego namiotu, a pewien cielak odważył się nawet podejść na odległość metra od nas, by ułożyć się na poobiednią drzemkę obok namiotu. Mieliśmy wrażenie, że jesteśmy w raju.

O tym, że zwierzęta te są naprawdę nieśmiałe, przekonaliśmy się na przykładzie niewielkiej grupy wędrowców. Na ich widok stado się wycofało, by później powrócić na równinę wokół namiotu. Wyraźnie dało się przy tym zauważyć, że pojedyncze okazy bardzo się nami interesowały. Z szeroko rozwartymi oczami i nozdrzami starały się zgłębić naszą tajemnicę, a dla nas było to najpiękniejsze przeżycie całej wyprawy. Nie wiemy, dlaczego były tak ufne względem nas. Być może nasze codzienne zajmowanie się zwierzętami powoduje, że zachowujemy się spokojniej, a przez to wydajemy się mniej niebezpieczni.

Każdy może zaznać podobnych przeżyć wszędzie tam, gdzie nie poluje się na zwierzęta. W parkach narodowych Afryki, na wyspach Galapagos czy też w tundrze na dalekiej Północy – żyjące tam gatunki nie miały jeszcze z nami złych doświadczeń, więc pozwalają ludziom bardzo blisko do siebie podejść. A od czasu do czasu trafiają się zainteresowane osobniki, które chcą sobie obejrzeć osobliwego gościa szwendającego się po ich rewirze. To właśnie takie spotkania potrafią nas wyjątkowo uszczęśliwić, bo obie strony działają na zasadzie absolutnej dobrowolności.

Trudno dowieść istnienia szczerej, nieprzymuszonej miłości zwierzęcia do człowieka i nawet pisklak Robin Hood nie miał wyjścia i musiał mnie kochać. A w drugą stronę? O istnieniu miłości ludzi do zwierząt mogą zaświadczyć wszyscy właściciele kotów, psów i innych zwierząt domowych. Ale co z jakością tej miłości? Czy zwierzęta nie służą tu jedynie jako płaszczyzna naszych projekcji i nie dostarczają nam satysfakcji w sytuacji, gdy nie mamy potomstwa, partner nam umarł lub otrzymujemy zbyt mało uwagi od bliźnich? Ten temat to pole minowe, które aż nazbyt chętnie wolałbym ominąć. Jednak jeśli mówimy o uczuciach zwierząt, to powinniśmy również zadać pytanie, co emocjonalne zaangażowanie z naszej strony robi z czworonogami. Przede wszystkim deformuje zwierzęta, i to w dosłownym rozumieniu tego słowa. Bo hodowla psów i kotów już od dawna w większości wypadków nie służy uzyskaniu wyjątkowo sprawnych pomocników w polowaniu (na zająca, sarnę czy mysz). Są one raczej dopasowywane pod względem zarówno charakteru, jak i wyglądu do naszych potrzeb, by kogoś tulić i ściskać. Dobrym przykładem są tu buldogi francuskie – kiedyś uważałem je za brzydactwa, a ich skrócone pyski z licznymi fałdami nad zadartym nosem, co zmusza psy do chrapania, za dowód upośledzenia tych zwierząt. Jednak wtedy poznałem Crusty'ego, błękitnoszarego psiaka, którym od czasu do czasu mamy zaszczyt się opiekować. Natychmiast podbił moje serce i kompletnie przestało mnie obchodzić, jak został wyhodowany – po prostu był taki słodki. Gdy inne psy po pięciu minutach mają dość głaskania, Crusty może godzinami napawać się pieszczotą. Jeśli przestaniemy, szturcha nas prosząco nosem w rękę i patrzy wielkimi oczami. Najchętniej spałby na brzuchu swego pańcia, pochrapując z zadowoleniem.

Czy coś takiego naprawdę może być złe? Naturalnie ta rasa została wyhodowana jako psy salonowe, coś w rodzaju żywych pluszaków. Nie chcę oceniać, czy jest to moralnie uzasadnione, raczej należy pytać o psie samopoczucie w takiej sytuacji. Bo jeśli ma on podwyższoną wskutek hodowli potrzebę mizianek, jeśli do tego wygląda tak, że każdy (dosłownie każdy!) chce z miejsca zaspokajać tę jego potrzebę, to z czym taki pies mógłby mieć problem? Najwyraźniej czuje się znakomicie, człowiek i zwierzę dostają to, czego potrzebują. Jedynie powód, z którego zrodziła się ta potrzeba – zmiany genetyczne wskutek hodowli ukierunkowanej w tę właśnie stronę – pozostawia leciutki i nieco gorzki posmak.

Inaczej sprawa wygląda, gdy potrzeby zwierzęcia, czy to naturalne, czy też wszczepione w hodowli, nie są zaspokajane. Gdy miłość tak nas zaślepia, że zwierzę jest traktowane jak człowiek w przebraniu psa. Może wtedy dojść do tego, że u przekarmionego, niewybieganego i nieodpornego na różne bodźce pogodowe (co zapewniają np. spacery w śniegu) psa wystąpią poważne zaburzenia zdrowotne, z którymi rozpieszczone zwierzęta będą się męczyć aż do śmierci.

TLĄCY SIĘ PŁOMYK

Zanim zanurzymy się głębiej w problematykę uczuciowego i duchowego życia zwierząt, powinniśmy najpierw zająć się pytaniem, czy to wszystko nie jest przypadkiem jednym wielkim naciągactwem. W końcu do przetwarzania uczuć, jakich doświadczamy, niezbędne są konkretne struktury mózgu, tak przynajmniej wynika z aktualnego stanu wiedzy naukowej. Odpowiedź brzmi całkiem jednoznacznie: ludzie mają układ limbiczny, który pozwala nam przeżywać całą gamę uczuć – radości, smutku, lęku lub rozkoszy – i wraz z innymi obszarami mózgu umożliwia odpowiednie reakcje ciała[7]. Te struktury mózgowe są ewolucyjnie bardzo stare, a zatem dzielimy je z wieloma innymi ssakami. Z kozami, psami, końmi, krowami, świniami – tę wyliczankę można by długo jeszcze ciągnąć. Ale nie tylko ssaki znajdują się na tej liście, o nie, według najnowszych badań należy umieścić na niej również ptaki, a nawet ryby, które w rankingach biologów znajdują się na o wiele niższym stopniu rozwoju.

W wypadku zwierząt wodnych problematyka emocji pojawiła się przy badaniu bólu. Katalizatorem stało się pytanie, czy ryby mogą odczuwać ból od ran zadawanych haczykiem podczas wędkowania. To, co wam może wydawać się oczywistością, długo uchodziło za nieprawdopodobne. Gdy patrzymy na obrazy z trawlerów rybackich, wyciąganie na pokład sieci pełnych żywych, powoli duszących się mieszkańców morza, gdy widzimy pstrągi trzepocące się na wygiętych wędziskach wędkarzy sportowych, to zadajemy sobie pytanie, jak coś takiego może być tolerowane społecznie na tle toczących się obecnie dyskusji o ochronie zwierząt. Prawdopodobnie często nie kryje się za tym zła wola, a jedynie niepotwierdzone dowodami przekonanie, że ryby to durne stworzenia, które włóczą się po rzekach i morzach, nietknięte żadnym uczuciem.

Victoria Braithwaite, profesor na Uniwersytecie Stanowym Pensylwanii, odkryła coś zupełnie innego. Już przed laty zlokalizowała ponad dwadzieścia receptorów bólowych dokładnie w obszarze pyska, który zwykle przebija haczyk wędkarski[8]. Boli! Ale w ten sposób można jedynie dowieść, że w zasięgu prawdopodobieństwa leży tępe odczuwanie bólu. Dlatego Braithwaite kłuła wspomniane obszary igłami, wyzwalając reakcje w kresomózgowiu – również u ludzi przetwarza ono bodźce bólowe. Można więc zapewne uznać za dowiedzione, że ryby cierpią wskutek zadawanych ran.

Jak jednak wygląda sprawa z emocjami, na przykład z lękiem? U ludzi rodzi się on w ośrodku mózgowym zwanym ciałem lub jądrem migdałowatym. Wiemy o tym od niedawna, choć już od dłuższego czasu podejrzewano istnienie takiego ośrodka. Jednak dopiero w lutym 2011 roku naukowcy z Uniwersytetu Stanowego Iowa opublikowali sprawozdanie z badań dotyczących kobiety, nazwanej przez nich SM. SM bała się pająków i węży, póki wskutek rzadkiej choroby komórki jej ciała migdałowatego nie obumarły. Było to naturalnie smutne wydarzenie dla SM, lecz dla uczonych niepowtarzalna okazja do zbadania skutków wywołanych zniknięciem tego organu. Udali się razem z SM do sklepu zoologicznego i skonfrontowali ją tam z obiektami lęku. W przeciwieństwie do wcześniejszych reakcji kobieta była teraz w stanie dotykać zwierząt i – wedle jej własnych słów – odczuwała jedynie ciekawość, lęku zaś wcale nie czuła[9]. W ten sposób bezsprzecznie zlokalizowano ośrodek lęku u człowieka. Ale u ryb?

Rzeczywiście Manuel Portavella Garcia wraz z zespołem z Uniwersytetu Sewilskiego znaleźli porównywalne struktury w zewnętrznych obszarach mózgu (u nas ośrodek lęku mieści się w samym środku mózgu, na dole) – tam ich do tej pory nie szukano. Badacze trenowali złote rybki, by spiesznie opuszczały określony kąt akwarium, gdy tylko rozbłyskała zielona lampa. Jeśli tego nie zrobiły, następował wstrząs elektryczny. Następnie uczeni sparaliżowali rybom pewną część mózgu, tak zwane kresomózgowie. Odpowiada ono naszemu ośrodkowi lęku, a jego wyłączenie powoduje takie same skutki jak u ludzi. Złote rybki ignorowały odtąd zielone światło bez śladu lęku. Badacze wywnioskowali stąd, że ryby i kręgowce lądowe odziedziczyły identyczne struktury mózgowe po wspólnych przodkach, którzy bądź co bądź żyli już przed czterystu milionami lat[10].

Wszystkie kręgowce dysponują zatem od dawna odpowiednim sprzętem do doznawania uczuć. Jednak czy rzeczywiście czują w podobny sposób jak my? Wiele na to wskazuje. Na przykład u ryb można udowodnić obecność hormonu oksytocyny, który u nas umacnia nie tylko uczucia miłości macierzyńskiej, ale i miłości do partnera. Szczęście i miłość wśród ryb? Tego nie jesteśmy w stanie udowodnić, przynajmniej w przewidywalnej przyszłości, ale dlaczego w razie wątpliwości wysuwamy zawsze argumenty „na niekorzyść oskarżonego"? Nauka dopóty wypowiada się przeciwko doznawaniu uczuć przez zwierzęta, dopóki trudno już jest zaprzeczać, że takowe istnieją. To nie lepiej z czystej ostrożności postępować odwrotnie, by niepotrzebnie nie męczyć zwierząt?

W poprzednim rozdziale celowo opisałem uczucia w taki sposób, w jaki my, ludzie, je odczuwamy. Tylko tak można chyba orientacyjnie prześledzić, co dzieje się w zwierzęcych głowach. Ale nawet jeśli ich struktury mózgowe różnią się od naszych, a odstępstwa oznaczają być może inny rodzaj przeżyć, to i tak nie oznacza to jeszcze, że uczucia są dla nich zasadniczo niemożliwe. Problemy możemy mieć jedynie z wczuciem się w inne gatunki, na przykład muszki owocowe*, których centralny układ nerwowy składający się z 250 tysięcy komórek stanowi ledwie jedną czterystutysięczną naszego układu nerwowego. Czy tak maleńkie istotki, z tak niewielkim łebkiem na karku, naprawdę mogą coś odczuwać, nie mówiąc już w ogóle o świadomości?

---

* Zgodnie z zaleceniami taksonomii nazywane obecnie w nauce wywilżnami karłowatymi (przypisy dolne pochodzą od tłumaczki, przypisy końcowe – od autora).

To ostatnie byłoby już zresztą pytaniem na miarę Nobla, a tak daleko nauka jeszcze niestety nie dotarła, by ostatecznie na nie odpowiedzieć. Jest tak między innymi dlatego, że nie da się dokładnie zdefiniować samego pojęcia „świadomości". W przybliżeniu można by je synonimicznie zastąpić myśleniem, zastanawianiem się nad tym, co przeżyliśmy bądź przeczytaliśmy. W tej chwili zastanawiacie się nad tym tekstem, co znaczy, że macie świadomość. A w wypadku muszek owocowych z ich maleńkim móżdżkiem odkryto co najmniej przesłanki, że mogą coś podobnego posiadać. Na to małe stworzonko działają w każdym momencie – podobnie jak na nas – niezliczone bodźce środowiskowe. Zapach róż, spaliny samochodów, światło słońca, powiew wiatru – to wszystko rejestrują rozmaite, niezestrojone ze sobą komórki nerwowe. W jaki jednak sposób muszka odfiltrowuje z tej powodzi to, co najważniejsze, by nie przeoczyć ani niebezpieczeństwa, ani szczególnie smakowitego kąska? Jej mózg przetwarza informacje i troszczy się o to, by rozmaite jego obszary synchronizowały swą działalność i w ten sposób wzmacniały wybrane bodźce. Tak oddziela to, co interesujące, od szumu tysięcy innych wrażeń. Muszka może więc kierować uwagę na poszczególne wybrane rzeczy – tak jak i my.

Porusza się błyskawicznie, więc oczy małego owada, składające się z dobrych sześciuset fasetek, bombardowane są bezlikiem obrazów na sekundę. Wydaje się niemożliwością uporanie się z taką ich masą, jednak dla muszek ma to kluczowe znaczenie, jeśli chcą przetrwać. Wszystko, co się porusza, może być wrogiem obdarzonym ogromnym apetytem. Dlatego muszy mózg zostawia nieruchome obrazy zamazane, a wyostrza tylko te obiekty, które się poruszają. Można by też powiedzieć, że maluch koncentruje się na tym, co istotne – zdolność, o którą z pewnością nie posądzalibyśmy takiego drobiazgu. Sami zresztą postępujemy podobnie – nasz mózg również nie pozwala przeniknąć do świadomości wszystkim obrazom, jakie widzą nasze oczy, a tylko tym, które mają dla nas znaczenie.

Czy w związku z tym muszki dysponują świadomością? Tak daleko nauka by się nie posunęła, ale wolno nam uznać za pewnik, że mają zdolność aktywnego sterowania swą uwagą[11].

Wróćmy raz jeszcze do odmiennych struktur mózgowych u różnych gatunków. Wprawdzie podstawowe organy są obecne nawet u niższych kręgowców, ale by doświadczać takiej jakości uczuć, jakie znamy, trzeba czegoś więcej. Wciąż można przeczytać, że tylko taki jak nasz centralny układ nerwowy umożliwia intensywne i świadome emocje – nacisk położony jest na słowo „świadome". Fałdy naszego organu myślenia składają się w swej zewnętrznej warstwie z kory nowej, ewolucyjnie najmłodszej części mózgu. Tu rodzi się percepcja, świadomość, tu toczy się myślenie. I to te komórki dają przewagę ludzkiemu mózgowi nad umysłami innych gatunków. Koronę stworzenia nosimy więc pod czaszką. Logiczne więc, że z jednej strony wszystkie pozostałe istoty na tej planecie słabiej odczuwają emocje, z drugiej zaś nie mogą być tak inteligentne jak my, prawda? W tym kierunku prowadzi na przykład argumentację pierwszy w Niemczech profesor od wędkowania Robert Arlinghaus. W wywiadzie dla „Spiegla" podkreślał on, że ryby nie są po prostu w stanie tak jak my odczuwać bólu powodowanego przez wędkę,

ponieważ nie mają kory nowej i świadome odczuwanie czegokolwiek jest dla nich zwyczajnie niemożliwością[12]. Pomijając już fakt, że inni naukowcy sprzeciwiają się temu twierdze-
niu (zob. s. 35), to wypowiedź ta o wiele bardziej przypomina
usprawiedliwianie swojego hobby niż obiektywną i ostrożną
ocenę naukową.

Podobne argumenty rok w rok wysuwają smakosze podczas Bożego Narodzenia, gdy przychodzi pora na wniesienie
na stół smakowitych skorupiaków, o czym również donosił
„Spiegel"[13]. Reprezentatywny dla całej tej grupy jest homar –
jako symbol statusu – w kolorze jaskrawej czerwieni poda-
wany na półmisku po ugotowaniu. Za życia. Kręgowce muszą zostać zabite, zanim zabierzemy się do przyrządzania
z nich posiłku, ale skorupiaki wolno wrzucać do wrzątku,
nawet ich nie ogłuszywszy. A miną całe minuty, zanim wysoka temperatura nie ugotuje im wnętrzności i tym samym
nie zniszczy wrażliwych splotów nerwowych. Odczuwanie
bólu? A niby czemu? Przecież skorupiaki nie mają kręgosłu-
pa, a co za tym idzie, nie czują bólu. Tak przynajmniej się
twierdzi. Ich układ nerwowy jest inaczej zbudowany, o wiele
trudniej tu dowieść odczuwania bólu niż w wypadku gatunków wyposażonych w kostny szkielet. Naukowcy przedsta-
wiający dowody wspierające przemysł spożywczy zarzekają
się, że w tych reakcjach chodzi wyłącznie o odruchy.

Profesor Robert Elwood z Królewskiego Uniwersytetu
w Belfaście uważa natomiast, że „zaprzeczanie, iż skorupiaki
mogą odczuwać ból, tylko z tego powodu, że mają inną budowę ciała niż my, to tak, jakbyśmy twierdzili, że nie mogą
widzieć tylko z tego powodu, że nie mają kory wzrokowej

(obszar mózgu u człowieka)"[14]. A abstrahując już od tego, zachowaniom odruchowym również może towarzyszyć ból, co sami możecie łatwo sprawdzić na przykładzie ogrodzenia elektrycznego. Jeśli przyłożycie do niego rękę i nastąpi impuls elektryczny, to w ułamku sekundy cofniecie rękę, czy chcecie tego czy nie. To czysty odruch, który zachodzi bez jakiegokolwiek namysłu, a mimo to porażenie prądem jest bardzo bolesne.

Czy rzeczywiście istnieje tylko jeden, ludzki sposób na intensywne i w miarę możności świadome przeżywanie uczuć? Ewolucja nie jest tak jednostronna, jak czasem myślimy (lub wręcz mamy nadzieję?). I to właśnie ptaki ze swym po części naprawdę malutkim móżdżkiem pokazują, że do inteligencji wiodą także inne drogi. Bo od czasu dinozaurów – za których potomków uchodzą – ich rozwój idzie w innym kierunku niż nasz. Nie mając kory nowej, są zdolne do imponujących osiągnięć umysłowych, czym dokładniej zajmę się później. Obszar zwany hyperpallium (wybrzuszenie grzbietowej części kresomózgowia) pełni podobne zadania i funkcje, co nasza kora mózgowa. Ludzka kora nowa zbudowana jest warstwowo, natomiast jej ptasi odpowiednik składa się z małych grudek, a ten fakt długo kazał wątpić w podobną sprawność tego organu[15]. Dziś już wiadomo, że osiągnięcia umysłowe kruków i innych gatunków żyjących społecznie dorównują możliwościom naczelnych, a częściowo nawet je przewyższają. To kolejny dowód na to, że nauka w razie wątpliwości wysuwa zbyt ostrożne argumenty, gdy chodzi o zdolność odczuwania przez zwierzęta, i odmawia im wielu zdolności umysłowych, póki nie pojawi się jednoznaczny dowód, że jest wręcz przeciwnie. Czy nie można by zamiast tego stwierdzić po prostu (i równie poprawnie) – że tego nie wiemy?

Nim zakończę ten rozdział, chciałbym Wam przedstawić jeszcze jedno stworzenie z naszych lasów, które w najprawdziwszym znaczeniu tego zwrotu jest bez głowy. Możecie je czasem napotkać na murszejącym drewnie, gdzie tworzy pagórkowate, żółtawe dywaniki – bo to grzyb. Chwileczkę. Czy przypadkiem w tej książce nie chodzi zasadniczo o zwierzęta? Zgadza się, ale w wypadku grzybów nauka nie jest taka pewna, do której one kategorii należą. Już normalne grzyby wystarczająco trudno jednoznacznie przyporządkować, tworzą przecież obok zwierząt i roślin trzecie królestwo organizmów, bo nie można ich zaklasyfikować ani do jednego, ani do drugiego. Grzyby żywią się jak zwierzęta organicznymi substancjami pochodzącymi z innych istot żywych. Ponadto ich ściany komórkowe składają się z chityny, jak zewnętrzna powłoka u owadów. A śluzowce, tworzące żółty dywan na martwym drewnie, mogą się nawet poruszać! Niczym galaretowata meduza stworzenia te potrafią zwiać nocą z pojemników, w których są tymczasowo przechowywane. Nauka zdążyła już jednak odseparować je od grzybów i w ten sposób przesunąć o kolejny kawałek w stronę zwierząt. Witamy w książce!

Niektóre gatunki śluzowców są tak interesujące dla badaczy, że poddają je regularnym obserwacjom w laboratorium. *Physarum polycephalum*, bo tak brzmi skomplikowana łacińska nazwa, należy do tej właśnie kategorii i uwielbia płatki owsiane. Zasadniczo stworzenie to jest jedną gigantyczną komórką z niezliczoną liczbą jąder. I tego śluzowatego jednokomórkowca badacze wsadzają do labiryntu o dwóch wyjściach. Na końcu jednego z nich leży jedzenie w charakterze nagrody. Śluzowiec rozprzestrzenia się po korytarzach i po ponad stu godzinach znajduje jednak właściwe wyjście. Wyraźnie wykorzystuje własny śluzowy ślad jako wskazówkę, gdzie już był, i później unika tych rejonów, bo nie okazały się obiecujące. W naturze ma to bardzo praktyczne znaczenie, ponieważ w ten sposób stworzenie wie, gdzie już szukało pożywienia, czyli gdzie na pewno go nie znajdzie. Nie da się ukryć, dla bezmózgowca złamanie tajemnicy labiryntu to niekwestionowany wyczyn. Badacze przypisują tym płaskim istotom przynajmniej posiadanie rodzaju pamięci przestrzennej[16]. Jednak japońscy naukowcy postawili triumfalnie kropkę nad i, budując labirynt na wzór najważniejszych ciągów komunikacyjnych Tokio. Głównym dzielnicom przydano atrakcyjności, tworząc w nich wyjścia z jedzeniem. Wsadzony do środka śluzowiec ruszył w drogę i wielkie było zdumienie badaczy, gdy okazało się, że wędrując od wyjścia do wyjścia, wybrał optymalną, najkrótszą drogę, której rysunek odpowiadał mniej więcej sieci szybkiej kolejki milionowego miasta![17]

Przykład śluzowców dlatego tak bardzo mi się podoba, bo pokazuje, jak niewiele trzeba, by rozproszyć nasze wyobrażenia o prymitywnej naturze, o durnych, pozbawionych uczuć zwierzakach. W końcu te egzotyczne stworzenia w ogóle nie dysponują warunkami wyjściowymi, opisywanymi w poprzednim rozdziale. A jeżeli już jednokomórkowce mają pamięć przestrzenną i umieją sobie radzić z tak skomplikowanymi zadaniami, to ileż nieprzeczuwanych zdolności i uczuć może się kryć w zwierzętach, które mają całe 250 tysięcy neuronów – jak wcześniej przedstawiona muszka owocowa? W tym kontekście nie może już dziwić, że o wiele bardziej zbliżone do nas budową ciała i mózgu ptaki i ssaki mogą żywić różnorodne uczucia – tak jak my.

GŁUPIA ŚWINIA

Świnie domowe pochodzą od dzików, które nasi przodkowie zawsze wysoce cenili jako dostarczycieli mięsa. Chcąc szybko i bez konieczności niebezpiecznego polowania mieć dostęp do tych smakowitych zwierząt, udomowili je przed około dziesięcioma tysiącami lat i hodowali w taki sposób, by jeszcze bardziej odpowiadały naszym wymaganiom. Jednakże zwierzęta te do dziś zachowały swój repertuar zachowań i przede wszystkim – swoją inteligencję. Sprawdźmy najpierw, do czego jest zdolna dzika odmiana. Potrafi na przykład szczegółowo rozpoznawać krewniaków, nawet w bardzo odległym stopniu. Naukowcy z Drezdeńskiego Uniwersytetu Technicznego dowiedli tego nie wprost, badając areał grup rodzinnych, zwanych też watahami. W tym celu schwytano 152 dziki w pułapki lub uśpiono za pomocą strzałek odurzających, po czym zaopatrzono je w nadajniki i na powrót wypuszczono na wolność. Dzięki temu można było obserwować, co też porabiają nocne wagabundy. Zwykle terytoria sąsiednich watah rzadko się ze sobą przecinają. Przeciętnie zajmują one obszar jedynie od czterech do pięciu kilometrów kwadratowych, czyli o wiele mniejszy, niż dawniej przypuszczano. Granice znaczą drzewa graniczne, o które dziki czochrają się po kąpieli w błocie, zostawiając na nich indywidualne ślady zapachowe. Granice te są jednak płynne, ponieważ oznakowanie jest nietrwałe, nic więc dziwnego, że od czasu do czasu obce dziki wkraczają na czyjś teren. Spotkania z obcymi przedstawicielami gatunku prowadzą regularnie do ostrych zatargów, których nawet świnia chętnie unika. Dlatego niespokrewnione watahy rzadko się dopuszczają naruszenia granic. Jeżeli natomiast rewiry dwóch spokrewnionych grup leżą blisko siebie, to pokrywają się one aż do pięćdziesięciu procent – najwyraźniej krewniaków, nawet w odległym stopniu, traktuje się uprzejmiej niż obcych. Jednak przede wszystkim widać, że można ich rozpoznać! Warchlaki z poprzedniego roku, tak zwane przelatki, są wypędzane, gdy zbliża się następny miot – locha nie ma wówczas czasu na troszczenie się o starsze i już bardzo samodzielne podrostki. Rodzeństwa łączą się w watahy przelatków, by nadal żyć we wspólnocie. Dziki są bardzo społeczne i uwielbiają pomagać sobie wzajem w pielęgnacji ciała lub po prostu leżeć wtulone jeden w drugiego. Jeżeli w późniejszym czasie dochodzi do spotkania watahy przelatków i starej kompanii, w której znowu są warchlaki, to przebiega ono bardzo przyjaźnie. Wszyscy się znają i nadal lubią.

Nierzadko zadawałem sobie pytanie, patrząc na nasze zwierzęta domowe, czy kozy lub króliki potrafią jeszcze identyfikować w grupie swe dorosłe dzieci jako członków rodziny czy też nie. Uważam, że samodzielne obserwacje pozwalają mi odpowiedzieć twierdząco. Jedyny warunek – zwierzęta nie zostały rozdzielone. Jeżeli choćby przez kilka dni nie przebywają w tej samej zagrodzie, to później traktują się jak obce. Czyżby ich pamięć długotrwała nie służyła do gromadzenia informacji o pokrewieństwie? Przynajmniej w wypadku dzików, a tym samym zapewne również świń domowych, sytuacja wyraźnie wygląda inaczej, ponieważ przez długi czas potrafią pamiętać, kto jest swój. Świnie domowe naturalnie mają z tego niewielki pożytek, bo dorastają niestety wyłącznie w grupach rówieśniczych, oddzielone od rodziców, i z reguły nie dożywają pierwszych urodzin.

Jak wszyscy dobrze wiedzą, świnie są nad wyraz schludnymi zwierzętami. Najchętniej korzystają ze swego rodzaju toalety, to znaczy ze stałych miejsc, w których załatwiają swą mniejszą lub większą potrzebę. Taka toaleta nigdy nie mieści się w ich legowisku – no bo któż by chciał spać w śmierdzącym łóżku! Dotyczy to zarówno dzików, jak i świń domowych. Gdy zatem oglądamy zdjęcia chlewni, tych maciupeńkich boksów (jeden metr kwadratowy na zwierzę), i widzimy ich ufajdanych lokatorów, możemy się tylko domyślać, jak źle zwierzęta się czują.

Dziki dostosowują również swe sypialnie do pogody i pory roku. Na łóżka najchętniej wykorzystują zawsze te same miejsca, bo przecież starannie je wybrały. Jeśli jednak wiatr wyje, a sypialnię deszcz zalewa, to zwierzęta przenoszą się do takich części lasu, gdzie mogą się przespać na terenie osłoniętym od wiatru i w miarę suchym. Latem jako materac wystarcza goła leśna ziemia, bo wtedy dzikom i tak jest przeważnie za gorąco. Zimą natomiast planują nocny wypoczynek z wyjątkową starannością. Idealna będzie przytulna miejscówka w gęstych jeżynowych chaszczach, świetnie chroniących od wiatru, do której wiodą tylko dwa czy trzy przypominające tunele wejścia. Gromadzą tam uschłą trawę, liście, mech i inne materiały nadające się do wysłania sypialni, po czym pieczołowicie moszczą sobie wygodne leże.

Czy ja powiedziałem „nocny wypoczynek"? Mimo że dziki z pewnością chętnie by sobie pospały, kiedy my też śpimy w łóżku, to jednak szczwane zwierzęta przestawiły swój rytm dobowy. Co roku myśliwi odstrzeliwują do 650 tysięcy dzików[18], a do tego potrzebują światła dziennego. Dziki więc wykorzystują ciemności, by się poruszać i ujść prześladowcom. Normalnie to by wystarczyło jako zabezpieczenie, ponieważ nocą nie wolno strzelać do żadnego zwierzęcia. Normalnie. W wypadku dzików uczyniono jednak wyjątek, by przynajmniej w pewnym stopniu zapanować nad rozmnażającymi się ponad miarę stadami*. Ale ponieważ broń z noktowizorem nadal jest zakazana, nemrodzi płci obojej muszą czekać na pełnię i dobrą pogodę, bo dopiero wtedy na polanie da się dostrzec coś więcej niż rozmyte cienie. Dziki przywabia się niewielkimi porcyjkami kukurydzy, którą wielbią ponad wszystko. Cel jest jeden – podczas żerowania ma je dosięgnąć śmiertelny strzał. Tyle że chytrych dzików tak łatwo się nie podejdzie, bo po prostu przesuwają porę

---

* Polskie prawo zezwala na polowanie w nocy na dziki, piżmaki i drapieżniki oraz na gęsi i kaczki na zlotach i przelotach (§7 pkt 1 rozporządzenia Ministra Środowiska z dnia 22 września 2010 r. zmieniającego rozporządzenie w sprawie szczegółowych warunków wykonywania polowania i znakowania tusz).

aktywności na drugą połowę nocy. Ale i na to przemysł myśliwski ma gotową odpowiedź – zegar na dziki. Wyglądem przypomina on budzik, który zatrzymuje się po przewróceniu. Jeżeli postawimy taki budzik w rozsypanej kukurydzy, to pokaże, kiedy dziki przyszły na posiłek. I wtedy myśliwy może dokładnie o tej porze wspiąć się na ambonę, i nie musi już długo czekać, aż pojawi się zdobycz.

Wygląda jednak na to, że w ogólnym rozrachunku dziki są górą. Częściowo wykorzystują zanętę, czyli karmę zwabiającą, jako główny składnik swojej diety i mimo polowań mnożą się tak intensywnie, że w wielu miejscach pożegnano się już na dobre z myślą o redukcji pogłowia.

Wiele szczególnie poruszających odkryć uzyskano jednak w wyniku badań nad świnią domową, po prostu dlatego, że rozmaite wydziały szkół wyższych zajmują się ulepszeniami w masowej hodowli zwierząt. Profesor Johannes Baumgartner z Uniwersytetu Medycyny Weterynaryjnej w Wiedniu w odpowiedzi na pytanie dziennika „Die Welt", czy wśród badanych przez niego świń trafiła się jakaś wyjątkowa osobowość, opowiedział o pewnej starej maciorze. W ciągu swego życia urodziła 160 prosiąt i nauczyła je budowania gniazda ze słomy. Gdy jej córki dorosły, stara samica pomagała im niczym położna w przygotowaniach do porodu[19].

Jeżeli nauka wie już tyle o inteligencji świń, to dlaczego obraz chytrego zwierzęcia porośniętego szczeciną nie przebił się do publicznej świadomości? Przypuszczam, że wiąże się to z konsumpcją wieprzowiny. Gdybyśmy zdawali sobie sprawę, jaka to istota leży przed nami na talerzu, wielu z nas straciłoby apetyt. Znamy w końcu podobny mechanizm związany z naczelnymi, bo któż z nas zjadłby małpie mięso?

WDZIĘCZNOŚĆ

Zasadniczo możemy przyjąć, że istnieje miłość zwierząt do człowieka (i naturalnie bardzo silna w odwrotnym kierunku), choć bywa wymuszona okolicznościami lub naszymi pragnieniami, dobrowolna bądź nie. Bardzo blisko tych emocji sytuuje się moim zdaniem wdzięczność. A zwierzęta z pewnością mogą ją odczuwać. Potwierdzają to zwłaszcza posiadacze psów, które dopiero w podeszłym wieku znalazły dom i mają za sobą burzliwe historie.

Nasz cocker-spaniel Barry trafił do nas dopiero w wieku dziewięciu lat. Po śmierci Maxi, suki rasy münsterländer, chcieliśmy właściwie zamknąć temat psów w naszym życiu. Właściwie. Miriam, moja żona, zdecydowanie protestowała przeciwko nowemu nabytkowi, ale córka starała się nas przekonać do podjęcia odwrotnej decyzji. Jeśli chodzi o mnie, to nie sprzeciwiałem się specjalnie, bo i tak nie potrafiłem sobie naprawdę wyobrazić życia bez psa. I gdy pojechaliśmy razem na jarmark jesienny organizowany przez pobliską placówkę handlu rolnego, oboje wiedzieliśmy, że nie będzie to niewinna przejażdżka. Schronisko w Euskirchen miało na nim bowiem pokazać swych pensjonariuszy i najchętniej od razu przekazać w dobre ręce. Oboje z córką byliśmy ogromnie rozczarowani, gdy zaprezentowano wyłącznie króliki – mieliśmy je już przecież w domu. I po to czekaliśmy cały dzień pod gołym niebem, plącząc się między stoiskami? Ani jednego psa! Ale na sam koniec usłyszeliśmy wreszcie zapowiedź, że dotychczasowy opiekun przedstawi przyszłego pensjonariusza, zanim trafi on do schroniska – Barry'ego. Serca zabiły nam szybciej – pies ponoć był bardzo łagodny i niekonfliktowy, znosił bez problemu jazdę samochodem, a do tego był wykastrowany. Idealny! Dosłownie zerwaliśmy się z ławki i przecisnęliśmy do przodu. Mały spacerek na próbę, przybicie dłoni na znak zawartej umowy, prawo do trzech dni próbnych z psem w domu i już oddalaliśmy się z Barrym w aucie w kierunku Hümmel.

Te trzy dni próbne były bardzo ważne, bo przecież Miriam nic jeszcze nie wiedziała. Późnym wieczorem wróciła ze spotkania i akurat zdejmowała kurtkę, gdy córka powiedziała: „Nic nie zauważyłaś?" Żona rozejrzała się i potrząsnęła głową. „No to musisz spojrzeć pod nogi!", zawołałem. I w tej sekundzie było już po niej. Barry wpatrywał się w nią, machając ogonem, a moja żona zakochała się w nim na resztę życia. A pies był wdzięczny – wdzięczny, że jego odyseja dobiegła końca. Jego pani, chora na demencję, musiała go oddać, po czym przewędrował przez dwie rodziny i wreszcie dobił do przystani. Wprawdzie do końca życia pozostał nieufny, czy przypadkiem na horyzoncie nie rysuje się jakaś nowa przeprowadzka, lecz poza tym był zawsze wesoły i przyjazny. Czyli po prostu wdzięczny, prawda?

Ale jak powinno się mierzyć wdzięczność czy też – co niemal równie trudne – ją definiować? Jeżeli przeszukacie internet pod tym kątem, nie znajdziecie za wiele konkretów, a za to mnóstwo kontrowersyjnych twierdzeń. Wdzięczność jest rozumiana przez wielu przyjaciół zwierząt jako coś, czego należy żądać, jako postawa, której niejeden właściciel oczekuje od swego zwierzęcia w zamian za okazywaną mu troskę. Tak pojmowanej wdzięczności w ogóle bym u zwierząt nie szukał, bo wtedy byłaby jedynie formą okazywania służalczości, dodatkowo z dość nieprzyjemnym zabarwieniem. W zasadzie z większości definicji odnoszonych do ludzi wynika, że wdzięczność jest pozytywną emocją wyzwalaną w odpowiedzi na radosne wydarzenie, do którego doprowadził ktoś inny lub coś innego. A więc aby być wdzięcznym, trzeba umieć rozpoznać, że ktoś zrobił nam coś dobrego. Już Cyceron, rzymski polityk i filozof, uznał wdzięczność za największą spośród wszystkich cnót i przypisał tę zdolność również psom. Jednak w tym momencie rzecz staje się wysoce problematyczna, bo jak mam się przekonać, czy zwierzę rozpoznaje, kto doprowadził lub co doprowadziło do radosnego wydarzenia? W przeciwieństwie do radości jako takiej (którą łatwo u psa zaobserwować) dochodzi tutaj jeszcze refleksja nad przyczyną. To akurat można u zwierząt stosunkowo prosto zbadać. Weźmy na przykład pożywienie. Zwierzę cieszy się z posiłku i wie dokładnie, kto napełnia mu miskę. Psy często domagają się od swoich właścicieli, by natychmiast powtórzyli tę czynność. Ale czy to rzeczywiście jest wdzięczność? Równie dobrze można zinterpretować takie zachowanie jako żebractwo. Czy ze szczerą wdzięcznością nie łączy się pewna postawa, pewne nastawienie wobec życia? Pozbawiona chciwości radość z drobnych rzeczy. Z tego punktu widzenia wdzięczność jest połączeniem szczęścia i zadowolenia z okoliczności, za które nie odpowiadamy. Istnienia tego rodzaju wdzięczności nie potrafimy jeszcze niestety dowieść u zwierząt – można co najwyżej przeczuwać, że posiadają one własny stosunek do życia. Wraz z rodziną jestem całkowicie przekonany, że przynajmniej jeśli chodzi o naszego psa, Barry'ego, to był on zadowolony i szczęśliwy, że znalazł u nas swój ostateczny dom – nawet jeśli brak na to naukowych dowodów.

STEK KŁAMSTW

Czy zwierzęta potrafią kłamać? Jeśli bardzo rozszerzymy znaczenie tego pojęcia, to niektóre zwierzęta są do tego zdolne. Muchówki z rodziny bzygowatych, których żółto-czarne paski naśladują wygląd os, „okłamują" swoich wrogów, udając, że są groźne. Zresztą owady nie są świadome swego podstępu, bo w końcu nie opracowały go same, lecz wyglądają tak od urodzenia. Podobnie rzecz się ma w wypadku rusałki pawika, rodzimego motyla, którego wielkie „oczy" na skrzydłach sygnalizują wrogom, że mają do czynienia z wielką – sądząc po wielkości oczu – zdobyczą, zbyt wielką dla nich. Zostawmy więc tego typu bierne oszustwa i zobaczmy, kto faktycznie jest bezczelnym kłamczuchem.

O, na przykład nasz kogut Fridolin. Jest dostojnym przedstawicielem swego gatunku i szczyci się śnieżną bielą, jak przystało na koguta rasy „biały australorp". Fridolin mieszka wraz z dwiema kurami na wybiegu o powierzchni

150 metrów kwadratowych, zabezpieczonym przed atakiem lisa czy jastrzębia. Dwie kury wystarczają nam w zupełności, jeśli chodzi o zaopatrzenie w jajka, jednak Fridolin ma zupełnie inne zdanie na ten temat. Nie ma wiele roboty ze swym małym stadkiem, bo w końcu jego popęd seksualny spokojnie starczyłby na dwa tuziny narzeczonych. Chcąc nie chcąc, musi całą swą miłość skupiać na Lotcie i Polly. Kury nie przepadają za ciągłymi próbami kopulacji i dlatego na wybiegu natychmiast umykają przed Fridolinem, gdy ten szykuje się do decydującego skoku. Jeżeli jednak uda mu się wylądować na grzbiecie kurzej damy, to rozpościera skrzydła, by zachować równowagę. Równocześnie chwyta rozpłaszczoną na ziemi kurę za pióra na karku, a czasem wyrywa je w przypływie entuzjazmu. Następnie przyciska kloakę do kloaki partnerki i wstrzykuje nasienie. Gdy trwający sekundy akt się skończy, kura otrząsa się i może potem przynajmniej przez jakiś czas zająć się w spokoju jedzeniem. Jednak Fridolina wkrótce znowu ogarnia namiętność, a ponieważ żadna już nie ma na to ochoty, zaczyna się wyczerpująca dla niego zabawa w gonionego. Powoduje to często, że kogut opada z sił i na chwilę powraca spokój.

Jednak trzeba umieć sobie radzić. Zazwyczaj Fridolin jest prawdziwym dżentelmenem i przy jedzeniu ustępuje pierwszeństwa swemu niewielkiemu haremowi. Gdy tylko spostrzeże pyszny kąsek, zaczyna gruchać szczególnym tonem, a już po chwili Lotta i Polly rzucają się na znaleziony przysmak. Jednak czasem pod nogami Fridolina niczego nie ma – kogut po prostu bezczelnie łże. Zamiast smakowitych robaków czy wyjątkowo dobrego ziarna na kury czeka kolejna próba kopulacji, nierzadko udana dzięki owej chwili zaskoczenia. Jeżeli jednak zdarza się to zbyt często (a przy dwóch kurach wystarczy ledwie parę oszustw), to obie zachowują ostrożność nawet w wypadku prawdziwych, jadalnych znalezisk. Kto raz skłamie, temu drugi raz nie uwierzą...

Także inne gatunki ptaków, jak na przykład jaskółki, potrafią ściemniać z zapałem. Jeżeli samczyk po powrocie do gniazda nie zastaje w nim samiczki, to wydaje z siebie okrzyk alarmowy. Samiczka jest przekonana, że nadciąga niebezpieczeństwo, i najkrótszą drogą frunie do gniazda. Samczyk podnosi fałszywy alarm, by powstrzymać samiczkę od skoków w bok podczas jego nieobecności. Ale gdy jaja zostaną już złożone, problem staje się niebyły i oszukańcze okrzyki ustają[20].

Kolejny przykład również pochodzi z królestwa rodzimych ptaków. Chodzi o powszechnie występujące bogatki, wśród których znajdzie się jedna czy druga szachrajka. Bo gdy chodzi o jedzenie, nie ma przyjaciół. Śliczne ptaszki o biało-czarnych łebkach dysponują przemyślnym językiem, za pomocą którego ostrzegają się wzajem przed wrogami. Zalicza się do nich krogulec zwyczajny – niewielki, przypominający jastrzębia ptak drapieżny, który z upodobaniem poluje w ogrodach. Śmigając lotem strzały, porywa wróble, rudziki czy sikorki i pożera w najbliższych chaszczach. Bogatka, która z daleka spostrzeże niebezpieczeństwo, ostrzega pobratymców wysokim tonem. Krogulec nie jest w stanie go usłyszeć i dlatego cały klan sikorek może niepostrzeżenie schronić się w bezpiecznym miejscu. Jeżeli jednak drapieżca jest już niebezpiecznie blisko, to ostrzeżenie następuje w niższej tonacji. Wtedy wszystkie sikorki wiedzą, że krogulec jest tuż-tuż. Napastnik też słyszy niższe w tonie „reeecz" i od razu wie, że planowany atak z zaskoczenia właśnie stracił główny atut. Z tego też powodu często uderza w próżnię, bo sikorki mają się już na baczności. Jednak niektóre bogatki bezczelnie wykorzystują ten dobrze działający system. Jeżeli zobaczą wyjątkowo smaczny pokarm albo też jest go niewiele, mali oszuści wydają z siebie znany już głos ostrzegawczy. Wszyscy pędem rzucają się do kryjówek – no, prawie wszyscy. A szachraj może się teraz w spokoju pożywiać, ile dusza zapragnie.

A jak wygląda zdrada? Ta forma seksualności to też rodzaj oszustwa, jednakże tylko wtedy, gdy oszust jest świadom tego, co robi. I to właśnie możemy zaobserwować w wypadku samców sroki. Te piękne ptaki drapieżne o czarno-białym upierzeniu stanowią dla wielu mieszkańców miast obiekt nienawiści pierwszej klasy, gdyż polują na pisklęta innych gatunków ptaków śpiewających, chcąc nakarmić swoje potomstwo. Tym samym grają w jednej lidze z wiewiórkami, o czym już pisałem. Chętnie sobie wyobrażam, że sroki są gatunkiem zagrożonym wymarciem. Jak bardzo wówczas cieszylibyśmy się, gdyby gdzieś się pojawiły, jak bardzo podziwialibyśmy ich rzucające się w oczy, mieniące się błękitem i zielenią czarne partie upierzenia. Ale w obecnym stanie rzeczy wiele osób nie potrafi dostrzec tych cudów natury.

Wróćmy jednak do skoków w bok. Sroki, podobnie jak wiele innych drapieżników, mogą się wiązać w małżeństwa na całe życie. Wraz z partnerem urządzają się w swoim rewirze, który również będą zamieszkiwać przez wiele lat. Bronią go zażarcie przed przedstawicielami własnego gatunku, i to wyraźnie dlatego, że oboje partnerzy chcieliby zabezpieczyć się przed skokami w bok. Po złożeniu jaj, gdy reprodukcyjny biznes zasadniczo już minął, zapał w obronie granic wyraźnie stygnie. Jednak i wcześniej wiele działań jest wyraźnie pozornych, przynajmniej ze strony samców. Samiczki agresywnie odpędzają natrętne rywalki, ale ich partnerzy należą do oportunistów. Jeżeli partnerka się przygląda albo jest w zasięgu głosu, wówczas oni także ruszają do boju z przylatującymi srokami płci żeńskiej. Jeżeli jednak uznają, że nikt ich nie obserwuje, zaczynają gorliwie obskakiwać nową ślicznotkę[21].

Nie można natomiast nazwać kłamstwem innych strategii stosowanych w świecie zwierząt, nawet jeśli zdarza się od czasu do czasu przeczytać takie twierdzenia w prasie. Tak na przykład opisywane są lisy, które w przeciwieństwie do rusałki pawika potrafią świadomie zwodzić. To część ich strategii łowieckiej, polegająca na tym, że udają martwe i potrafią nawet czasem wywiesić przy tym język. Padlina pod gołym niebem? Zawsze znajdą się chętni – z ptakami drapieżnymi na czele. Chętnie się poczęstują obfitym daniem mięsnym, nawet jeśli już nieco zaczyna wonieć. W przypadku naszego lisa jest ono zaś świeżuteńkie – aż nazbyt świeże! Bo gdy czarno upierzony stołownik chce się obsłużyć, widzi znienacka zębatą paszczę lisa chytrusa i kończy jako jego obiad[22]. To mistrzowska symulacja i niewątpliwie zwodniczy postępek, ale daleko tu jeszcze do oszustwa. A to dlatego, że do oszukiwania potrzebni są z reguły przedstawiciele własnego gatunku, którym dostarcza się dla własnej korzyści fałszywych informacji. Lis realizuje tylko wyjątkowo wyrafinowaną strategię łowiecką, która jednak nie jest wątpliwa moralnie. W przeciwieństwie do koguta Fridolina albo srok, które pozwalają sobie na skok w bok – bo tu za każdym razem bliscy towarzysze są świadomie kantowani.

Ale co właściwie znaczy wątpliwy moralnie? Osobiście uważam, że mimo wszelkich stosowanych przez nie podstępów różnorodność duchowego życia zwierząt jest ujmująca.

ŁAPAJ ZŁODZIEJA!

Jeżeli wśród zwierząt nawet kłamstwa są rozpowszechnione, to jak wygląda sprawa ze złodziejstwem? Jeżeli chcielibyśmy się czegoś dowiedzieć, powinniśmy najpierw rzecz zbadać wśród zwierząt żyjących społecznie, gdyż podobnie jak przy kłamstwie, również i tutaj chodzi o ocenę moralną, która wypada negatywnie tylko w wypadku odpowiedniego zachowania społecznego wobec przedstawicieli tego samego gatunku.

Amerykańska wiewiórka szara to szczwany złodziej, jednak najpierw zobaczmy, co ten zwierzak w tej chwili wyprawia. Stał się on bowiem prawdziwym zagrożeniem dla naszej rodzimej rudej (a czasem też czarnobrązowej) wiewiórki. Niejaki Mr Brocklehurst z Cheshire w Anglii, wiedziony współczuciem, wypuścił w 1876 roku na wolność trzymaną z klatce parkę szarych wiewiórek, a w kolejnych latach uczyniły to w ślad za nim dziesiątki innych miłośników zwierząt. Szara wiewiórka podziękowała swym oswobodzicielom, mnożąc się z zapałem – i to tak wielkim, że dzisiaj jej europejscy rudzi krewniacy znajdują się na granicy wymarcia. Szare są większe i silniejsze, a ponadto w każdym lesie czują się dobrze, czy będzie on liściasty czy też iglasty. Jednak jeszcze niebezpieczniejszy dla rodzimych wiewiórek jest pewien pasażer, który przybył do nas na gapę wraz z wiewiórkami szarymi – wiewiórcza ospa. Północnoamerykańskie wiewiórki są w znacznym stopniu uodpornione na tego wirusa, jednak nasze wiewiórki rude mrą jak muchy. Głupota sprawiła, że wiewiórkę szarą wypuszczono na wolność również w północnych Włoszech w 1948 roku i od tej pory przesuwa się ona w kierunku Alp. Nie wiemy, czy uda jej się pokonać góry i rozpocząć zwycięski przemarsz przez nasze lasy.

Nie chciałbym jednak piętnować tych zwierząt mianem szkodników; ostatecznie nic nie poradzą na to, że przywieziono je do Europy. Przyczyną ich dominacji mogą być zwłaszcza ich zachowania i tu wracamy do tematu złodziejstwa. Wiewiórki zdobywają bowiem czasem pożywienie, plądrując zimowe spiżarki swych pobratymców. W wielu wypadkach może to być sprawa życia i śmierci, jak dowodzą bezskuteczne poszukiwania wśród śniegu, które co roku obserwuję zimą z okna w biurze. Ten, kto nie może sobie przypomnieć, gdzie są jego spiżarki, umrze z głodu, ale w razie wątpliwości można przecież obsłużyć się właśnie u sąsiadów. Nic mi nie wiadomo, by nasze rodzime wiewiórki opracowały strategię zabezpieczającą przed takimi postępkami, lecz u wiewiórek szarych naukowcy odkryli ciekawe rzeczy. Zespół z Wilkes University obserwował zwierzęta, jak zakładały puste spiżarki. Czyniły to wyraźnie w celu wprowadzenia w błąd pobratymców. Jednakże tylko wtedy, gdy czuły się obserwowane. Wtedy zaczynały kopać w ziemi i zachowywały się tak, jakby coś tam wkładały. Zgodnie z informacjami podanymi przez uczonych był to pierwszy dowiedziony przypadek stosowania podstępów u gryzoni. Do dwudziestu procent pustych spiżarek powstawało wtedy, gdy przypatrywało się temu wiele obcych wiewiórek. Tytułem eksperymentu badacze polecili studentom splądrowanie pełnych składzików i spójrzcie tylko – wiewiórki szare zareagowały natychmiast i od tej pory uciekały się do podstępu również w obecności ludzkich złodziei.

Wśród sójek zwyczajnych również krąży widmo rabunku. Te ptaki są zasadniczo istnymi fanatykami zapobiegliwości – jesienią ukrywają w miękkiej leśnej glebie do jedenastu tysięcy żołędzi i orzeszków bukowych, mimo że potrzebują na zimę o wiele mniejszej ilości pożywienia. Oleiste nasiona są później wykorzystywane nie tylko jako zasoby na czarną godzinę przed nadejściem nowego sezonu wegetacyjnego, sójki sięgają po nie również wiosną, karmiąc pisklęta. A jednak sprytne ptaki robią z reguły o wiele za dużo zapasów. Gdy człowiek widzi, jak jednym uderzeniem dzioba znajdują każdą z tysięcy spiżarek, musi przyznać, że to bez dwóch zdań imponujący wyczyn pamięciowy. Z niewykorzystanych nasion kiełkują nowe drzewa, więc kolejne pokolenia też nie będą musiały się martwić o zaopatrzenie. W moim rewirze wykorzystujemy tę zbieracką namiętność ptaków do rozsiewania młodych drzew liściastych wśród monotonnych, starych plantacji świerkowych. W tym celu montujemy na słupkach pojemniki na nasiona i napełniamy je żołędziami oraz bukwią. Sójki chętnie się częstują i umieszczają swą zdobycz w glebie w promieniu kilkuset metrów. W ten sposób obie strony odnoszą korzyść – my zyskujemy w rewirze wyjątkowo tanim kosztem nowe lasy liściaste, a sójki mogą z łatwością spokojnie zgromadzić potężne zapasy na zimę. Jednak w niektórych latach dęby i buki nie kwitną, a wtedy kolorowe ptaki zaczynają mieć problemy. Jeżeli w latach tłustych populacja mogła się rozrastać, to teraz czeka ją uszczuplenie, jak tego od niepamiętnych czasów bezlitośnie żąda natura po tysiące razy. Tylko kto miałby ochotę na głodowanie? Część zwierząt wyrusza wtedy na południe, większość zaś próbuje przetrwać w rodzimych lasach.

W czasach niedoboru podpatrują więc – podobnie jak to czynią wiewiórki – swych pobratymców przy zakopywaniu skarbów późną jesienią. A ponieważ nikt nie jest w stanie pilnować mnóstwa kryjówek, można zimą znakomicie a niepostrzeżenie żyć na koszt pracowitych właścicieli. Takie postępowanie jest u ptaków z całą pewnością świadome, jak dowiedli naukowcy z Uniwersytetu Cambridge. W tym celu umieścili w wolierze rozmaite substraty gleby. Niektóre składały się z piasku, niektóre ze żwiru. Kopanie w piasku jest niemal bezszelestne, natomiast kamyczki żwiru zdradziecko grzechocą. I właśnie ten fakt sójki zachowywały w pamięci, zakładając spiżarki. Jeśli znajdowały się same na wybiegu, było im obojętne, w jakim podłożu ukryją otrzymane orzeszki ziemne. Jeśli podczas grzebania w ziemi przyglądali im się i przysłuchiwali rywale, wtedy również nie miało znaczenia, w czym właściwie kopały. W pierwszym przypadku nikt nie mógł się dowiedzieć, gdzie ukryty jest cenny łup, a w drugim ptaki zdawały sobie sprawę, że ten, kto widzi kryjówkę, i tak już odkrył tajemnicę. Jeżeli jednak rywale byli poza zasięgiem wzroku, ale w zasięgu głosu, to wówczas sójki wybierały tłumiący odgłosy piasek. W ten sposób znacznie wzrastały szanse na to, że potencjalni złodzieje nie zorientowali się w ich poczynaniach. Z drugiej zaś strony złodzieje zachowywali się ciszej. Wprawdzie w normalnych warunkach sójki na widok pobratymców głośno się ze sobą porozumiewały, lecz obserwując zakładanie kryjówek, były zdecydowanie cichsze – wyraźnie dlatego, by nie zdradzić swej obecności[23]. Dwie rzeczy stały się oczywiste: ptak przygotowujący kryjówkę potrafił wczuć się w położenie swych pobratymców i uwzględnić ich ograniczone pole widzenia. A przyszły złodziej wyraźnie planował akcję w dłuższej perspektywie, gdyż ściszał wydawane dźwięki, by zwiększyć swe szanse na niezakłócone plądrowanie skrytki z orzeszkami ziemnymi.

Jednak kradzież w znaczeniu świadomego zaboru cudzej własności występuje nie tylko w obrębie jednego gatunku. Ślady rabunku między różnymi gatunkami możecie znaleźć zimą w wielu lasach liściastych. W leśnej glebie widać czasem półmetrowej głębokości doły, udekorowane naokoło wielkimi kawałami zrytej ziemi. Takie wykopki są wyłącznie dziełem dzików, i to zawsze podczas tak zwanych lat tucznych. Ten termin fachowy oznacza masowe owocowanie buków i dębów, co dawniej stanowiło oczywiste błogosławieństwo dla wiejskiej ludności. Mogła wygonić świnie do lasu i tuż przed zimowym ubojem porządnie je utuczyć, bo zwierzęta obżerały się, aż im się uszy trzęsły. Dzisiaj wypas w lesie jest zabroniony (przynajmniej w Europie Środkowej), jednak samo pojęcie pozostało. A dziki, rzecz jasna, nie czynią nic innego niż ich oswojeni krewniacy – okrywają się grubą warstwą sadła. Ale błogosławieństwo przemija, ziemia wyczyszczona do zera, a burczący żołądek domaga się kolejnej porcji. Ta zaś znajduje się głęboko pod ziemią. Tam myszy zagrzebały w spiżarkach swoją część zbiorów i mogą bezpiecznie przetrwać zimę. Nawet podczas silnych mrozów przygruntowy przymrozek kończy się już kilka centymetrów pod warstwą liści; w mysiej norce jest więc zawsze przynajmniej pięć stopni powyżej zera. Wymoszczona liśćmi i mchem, w pełni chroniona przed wiatrem, zapewnia świetne warunki pobytowe. Przynajmniej dopóki nie zajrzy jakiś dzik. Te szare kopacze mają bardzo wrażliwe nosy i potrafią już z wielu metrów wywęszyć gniazda małych gryzoni. Z doświadczenia wiedzą, że zwierzątka pilnie gromadzą orzeszki bukowe lub inne nasiona, dogodnie magazynując je w jednym miejscu. Ale to, co dla myszy stanowi ogromne zapasy na długie miesiące, starcza dzikom na drobną przekąskę między posiłkami. Jednak myszy żyją często w większych koloniach i dlatego większa ilość takich przekąsek zapewni niezbędne kalorie na zimny dzień. Tak więc dziki tak długo ryją ziemię wzdłuż wejść do norek, póki nie natrafią na spiżarnię i nie opróżnią jej kilkoma chapnięciami. Myszom pozostaje jedynie ucieczka, a dalej niepewny los, bo zimą baza pokarmowa jest szalenie skąpa dla wszystkich bezdomnych. Jeśli zaś nie zdołają uciec podziemnymi korytarzami, od razu zostaną pożarte – dziki lubią mięso z dodatkami. Gryzoniom zostaje wtedy przynajmniej oszczędzona powolna śmierć z głodu.

A jak wygląda moralna ocena takiego postępowania? Plądrowanie spiżarek przez dziki nie jest prawdziwą kradzieżą, w końcu nie oszukują przedstawicieli swego gatunku. Mimo że zwierzęta są całkowicie świadome faktu, że rozgrabiają mysie zapasy, chodzi tu ostatecznie o normalny dla gatunku sposób zdobywania pożywienia, nawet jeśli myszy z całą pewnością widzą to inaczej.

ŚMIAŁO!

Gdyby zwierzęta działały tylko według sztywno ustalonego programu genetycznego, to wszystkie egzemplarze danego gatunku musiałyby tak samo reagować w takiej samej sytuacji. Wydzielałaby się pewna ilość hormonów, które następnie powodowałyby odpowiednie działania instynktowne. Jednak tak się nie dzieje, o czym być może wiecie z zachowań zwierząt domowych. Istnieją odważne i tchórzliwe psy, agresywne i szalenie łagodne koty, płochliwe i wyjątkowo niewrażliwe konie. To, jaki charakter wykazuje dane zwierzę, zależy od jego indywidualnych predyspozycji genetycznych, a także w niemałej mierze od wpływu otoczenia, czyli od jego doświadczeń. Na przykład nasz pies Barry był małym strachajłą. Jak wcześniej wspomniałem, zanim trafił do nas, był przekazywany od jednego do drugiego właściciela. Na resztę życia został mu strach przed porzuceniem i zawsze był skrajnie podenerwowany, kiedy zabieraliśmy go ze sobą na wizyty do rodziny. Skąd pies miałby wiedzieć, że nie chcemy go znowu zostawić? Jego zdenerwowanie objawiało się bezustannym ziajaniem, tak że w końcu doszliśmy do tego, że na te parę godzin woleliśmy zostawiać chore na serce zwierzę w domu. Wracając, zyskiwaliśmy piękny dowód na to, że Barry był już całkowicie odprężony. Z racji swego wieku był głuchy, więc nie słyszał, że przyjechaliśmy, i spał głębokim, mocnym snem, póki nie dotarły do niego drgania desek podłogowych pod naszymi nogami i nie zmusiły do otwarcia zaspanych oczu. Barry był zatem przykładem lękliwości, ale chcemy przecież zobaczyć przeciwną cechę, skierujmy więc wzrok do lasu.

Wyjątkową odwagą wykazał się jelonek, który wraz ze swą matką przeskoczył ogrodzenie w lesie. Dawniej zlecałem stawianie takich ogrodzeń na terenach, na których huragan spustoszył świerkowe monokultury. By zamiast nich mogły tam wyrosnąć lasy możliwie bliskie naturalnym, pracownicy leśni sadzili sadzonki drzew liściastych. Trzeba było je chronić przed żarłocznymi pyskami roślinożerców, kazałem więc stawiać płoty wokół nasadzeń. Sadzonki dębów i buków rosły za dwumetrowym płotem z drutu. Na jeden z takich płotów przewrócił się podczas późnej burzy rosnący nieopodal świerk i przygniótł go do ziemi. Przez tę dziurę sarny i wspomniana łania wraz z cielakiem dostawały się wprost do krainy obfitości. Żaden turysta im tam nie przeszkadzał i mogły w spokoju zabrać się za smakowite pędy pożądanych gatunków drzew liściastych. Drogi płot nie zdał się na nic, zaś cel, jakim jest odrodzenie się pewnego dnia na poły naturalnych lasów bukowych i dębowych, odsunął się w odległą przyszłość. A zatem razem z Maxi, rasy mały münsterländer, ruszyłem w ślad za nieproszonymi gośćmi i usiłowałem ich wygonić. W tym celu otworzyłem bramę w narożu płotu, by zwierzęta pędzone wzdłuż siatki mogły tamtędy uciec. Uciekać zaś musiały dlatego, że do gry włączyła się Maxi. Suka reagowała na moje znaki nawet ze stumetrowego oddalenia, śmigała tu i tam, by dokładnie spenetrować wszystkie chaszcze. Spłoszona sarna wyprysnęła obok mnie przez bramę, jednakże już dwadzieścia metrów dalej przecisnęła się z powrotem, szorując brzuchem po ziemi, przez maleńką dziurę w płocie. Z jeleniami też nie odniosłem sukcesu, tym razem przez cielę. Matka, pędząc galopem, próbowała je wyprowadzić, a Maxi ścigała je w pełnym pędzie w odpowiednim kierunku. Ale to akurat było już dla cielęcia zbyt wiele. Obróciło się i ruszyło groźnie na sukę. Maxi w normalnych warunkach była bardzo odważna i w zasadzie niczego się nie bała, ale szarżujące na nią cielę? Z tym jeszcze nigdy się nie spotkała! Zatrzymała się w osłupieniu, jednak cielę nacierało, więc w końcu Maxi rzuciła się do ucieczki. W tym momencie dla mnie cała akcja się skończyła, tego dnia zwierzęta mogły pozostać na terenie upraw. Respekt przed psem rozwiał się jak dym, a mnie pozostało tylko uśmiechnąć się pod wąsem, no ale tak dzielnego młodzika też jeszcze nigdy nie spotkałem. A był naprawdę dzielny, bo właściwie to jego matka powinna była wkroczyć między niego a napastnika i utrzymać go z dala od swej latorośli.

Ale czym w ogóle jest odwaga? I znowu to pojęcie bywa rozmaicie definiowane, do tego w mocno nieprecyzyjny sposób (spróbujcie kiedyś sami zrobić to na poczekaniu), jednak ogólny kierunek wydaje się jasny – chodzi o działanie, które mimo dostrzeganego niebezpieczeństwa uznaje się za ważne i je realizuje. W przeciwieństwie do brawury odwaga uchodzi za cechę pozytywną i w tym znaczeniu cielę jelenia z pewnością zachowało się prawidłowo.

Podobną odwagę wykazują zresztą wspomniane już kwiczoły, które gnieżdżą się na starych sosnach przy naszej leśniczówce. Kiedy pojawia się czarnowron, ich zaprzysięgły wróg, nie przyglądają się bezczynnie, jak napada na ich pisklęta. Na widok nadlatującego nad kolonię groźnego ptaszyska kwiczoły rzucają się do ataku w powietrzu. Z wrzaskiem okrążają znacznie większego od nich intruza i zadają ciosy, spadając na niego szalonym lotem nurkującym. Czarnowron mógłby bez trudu odpędzić rozwścieczone ptaszki lub w ogóle ciężko je poranić. Ale zdecydowanie wyprowadzony atak kwiczołów, przeważnie w sojuszu z pobratymcami, wytrąca czarnowrona z równowagi i ptak zaczyna próbować uników. Niepostrzeżenie (a w sposób zamierzony) kwiczoły odwodzą go od gniazda, przy okazji najwyraźniej potwornie irytują, bo zwykle już po paru minutach czarnowron podaje tyły i znika z rejonu starych drzew. Czy więc kwiczoły są odważne? Czy też jedynie działają zgodnie z ich programem genetycznym, który każe zareagować na pojawienie się wroga? To mieszanka jednego i drugiego i tak też sprawa będzie wyglądać w każdej podobnej sytuacji, nawet chyba wśród ludzi. Nie wszystkie kwiczoły reagują tak walecznie, a przede wszystkim z taką zaciekłością. Od poszczególnego ptaka zależy, na jaką odległość będzie ścigał czarnowrona i jak gwałtowne będą jego ataki w locie nurkującym. Bojaźliwe kwiczoły tylko wystartują bez przekonania do lotu, odważne natomiast bohatersko zmuszą czarnowrona do ucieczki setki metrów od gniazda.

Czy jednak mniej odważne ptaki są automatycznie w gorszej sytuacji? Niels Dingemanse i jego zespół z Instytutu Ornitologii im. Maxa Plancka są innego zdania. Badali bogatki pod kątem odpowiednich cech charakteru i stwierdzili, że nieśmiałe osobniki lepiej się dogadują z przedstawicielami swego gatunku. Nie lubią kłótni ani wielkich gromad, wolą żyć w niewielkich grupkach ptaków o podobnym nastawieniu. Nieśmiałe ptaszki są wolniejsze i spokojniejsze, potrzebują wiele czasu, zanim podejmą akcję. Ale przy tym odkrywają rzeczy, których ich odważni i szybcy koledzy często nie zauważają, jak na przykład nasiona z minionego lata[24]. A skoro zarówno odważne, jak i nieśmiałe zwierzęta mają tyleż wad, co i zalet, obie te cechy charakteru mogły się utrzymać po dziś dzień.

CZARNO-BIAŁE

Zasadniczo wiele osób interesuje się uczuciami zwierząt. Jednak to zainteresowanie nie dotyczy zwykle wszystkich gatunków, a już zwłaszcza nie tych, które uznajemy za niebezpieczne lub obrzydliwe. „A po co właściwie są kleszcze?" Często słyszę to pytanie, ale nadal mnie zaskakuje. Bo nie sądzę, że absolutnie każde zwierzę ma do spełnienia jakieś specjalne zadanie w ekosystemie. Uważacie, że to osobliwa wypowiedź jak na leśnika? Moim zdaniem taka postawa oddaje każdemu stworzeniu należny mu szacunek.

Ale po kolei. Przyjrzyjmy się najpierw kolejnym przykładom, choćby osom. Te społeczne owady potrafią późnym latem nieźle zajść za skórę, ja sam też mam w którymś momencie szczerze dosyć tych pasiastych, żądlących drani. Być może przyczyna tkwi w zdarzeniu z moich młodych lat. Jechałem na basen rowerem z całkiem niezłą prędkością, gdy nagle z przeciwnej strony nadleciała osa, a pęd powietrza

spowodował, że zawisła pomiędzy moimi wargami. Zacisną-
łem wprawdzie usta, ale nie udało mi się zapobiec użądle-
niom, które niczym maszyna do szycia przeszyły mi dolną
wargę. Spuchła mi tak, że omal nie pękła, co mnie ostro wy-
straszyło. Ponadto w tym wieku człowiek łatwo traci rezon,
jeśli chodzi o skazy na urodzie – krótko mówiąc, od tamtej
pory osy nie należą do moich ulubieńców. Być może również doświadczyliście czegoś podobnego, stąd też nie dziwi,
że w sprzedaży znaleźć można przeróżne środki je zwalcza-
jące, na przykład szklane pojemniki w kształcie dzwonów,
napełniane słodką cieczą, by przywabić, a następnie uto-
pić osy. Brzmi paskudnie i takie też jest. Ale żądlące owady
uchodzą zasadniczo za małowartościowe, więc nikt się specjalnie nie zastanawia.

Zmiana dekoracji. Kapusta głowiasta na grządce pod-
wyższonej u mojej koleżanki z pracy. Na mięsistych liściach
siedzi cała masa tłustych gąsienic bielinka kapustnika. One
również są szkodnikami, które objadają liście, póki nie zostanie samo ich unerwienie. Koleżanka zwróciła się do nas
z prośbą o radę i mogliśmy jej pomóc – już od lat mamy
dobre doświadczenia z olejem z miodli indyjskiej. Odkąd
stosujemy ten ekologicznie nienaganny środek opryskowy
(dozwolony również w gospodarstwach ekologicznych), zachowujemy kapuściane głowy w całości aż do zbiorów. Jednak nie doszło do użycia oleju z miodli na grządce podwyż-
szonej, gdyż do gry zdążyły włączyć się osy. Rzuciły się na
gąsienice i posiekały je na sztuki, by móc przetransporto-
wać zdobycz do gniazda z wygłodniałym potomstwem. Za-
raza błyskawicznie zniknęła. U nas w leśniczówce też zaobserwowaliśmy coś podobnego – ogromna „plaga os" latem

przyniosła wolne od gąsienic rzędy kapusty. Czy więc osy są jednak pożyteczne?

Podobnymi etykietkami oznakowaliśmy większość zwierząt w naszych ogrodach. Sikorki – pożyteczne (zjadają gąsienice), jeże – pożyteczne (zjadają ślimaki), ślimaki – szkodliwe (zjadają sałatę), mszyce – szkodliwe (wysysają soki z roślin). Jak cudownie, że na każdego szkodnika znajdzie się pożyteczny pogromca, który utrzyma go w ryzach. Jednak dzielenie natury według takiego schematu automatycznie zakłada dwie rzeczy. Po pierwsze – musi istnieć plan nakreślony przez stwórcę, który wszystko obmyślił i zrealizował, precyzyjnie do siebie dopasowując i wyważając. A po drugie – ów stwórca tak urządził nasz świat, że jest on całkowicie nakierowany na potrzeby człowieka. W takim światopoglądzie pytanie, jaki jest sens istnienia kleszczy, jest jak najbardziej logiczne. Nie chciałbym krytykować takiego podejścia, w końcu ujęcie to jest rozpowszechnione nawet w organizacjach ochrony przyrody, które wspierają pożyteczne zwierzęta na przykład poprzez budowę budek dla ptaków. Jednak czy natura faktycznie da się wcisnąć w takie szufladki? I w jakiej my byśmy się znaleźli, gdyby świat miał tak wyglądać?

Nie – uważam, że nieprzejrzane, roztętnione życie milionów gatunków dlatego tylko tak dobrze jest ze sobą zestrojone, bo nazbyt egoistyczne gatunki, które bezwzględnie wykorzystują wszystkie zasoby, najpierw destabilizują ekosystem, a potem nieodwołalnie zmieniają go wraz z jego mieszkańcami. Takie wydarzenia rozegrały się około 2,5 miliarda lat temu. Wiele żyjących wówczas gatunków było beztlenowcami, to znaczy nie potrzebowało tlenu. Nasz najważniejszy gaz, którym oddychamy, był dla ówczesnego życia czystą trucizną. Pewnego dnia sinice zaczęły się rozprzestrzeniać w gwałtownym tempie. Odżywiały się drogą fotosyntezy, wydzielając w powietrze produkty przemiany materii takie jak tlen. Najpierw był on wiązany przez skały, przykładowo zawierające żelazo, które korodowało. Jednak w pewnym momencie zgromadziła się już taka nadwyżka tlenu, że coraz bardziej przesycał on powietrze, póki nie został przekroczony próg śmierci. Wiele gatunków wymarło, reszta nauczyła się żyć w obecności tlenu. Koniec końców, my jesteśmy potomkami tych dostosowanych stworzeń.

Zasadniczo codziennie dokonują się drobne korekty. To, co uważamy za dobrze wyważoną równowagę pomiędzy na przykład drapieżcami a ofiarami, jest w rzeczywistości twardym bojem z wieloma przegranymi. Gdy ryś przemierza swój olbrzymi rewir, ma apetyt na sarny. Kot ten nie jest jednak dobrym sprinterem i dlatego musi polegać na efekcie zaskoczenia. Szczególnie łatwo upolować niczego nieprzeczuwających i nieostrożnych roślinożerców, gdy jeszcze nie rozeszła się wśród nich wieść o pojawieniu się wielkich drapieżnych kotów. Jedna sarna starcza rysiowi na tydzień, ale gdy do wszystkich pozostałych dotrze ostrzeżenie, koniec z obiadem. Najcichsze trzaśnięcie gałązki wyzwala panikę w całym lesie, a nieufność ogarnia nawet zwierzęta domowe. Opowiadał mi pewien kolega po fachu, że obecność rysia w rewirze jako pierwszy wyczuwa jego kot. Domowy tygrys, jak mówił leśnik, nie wysuwa wtedy nosa za drzwi. Nie potrafił mi niestety powiedzieć, kto powiadamia kota o rysiu. Być może chodzi o zachowanie wszystkich potencjalnych ofiar, co buduje w lesie upiorną atmosferę grozy. Oznacza to, że rysiowi coraz rzadziej udaje się coś złapać, co zmusza go do dalszej wędrówki. Dopiero kilka kilometrów dalej – w nowym rejonie niczego nieprzeczuwających ofiar – może znowu beztrosko zapolować. Jeśli jednak na tym samym obszarze krąży zbyt wiele rysiów, to w którymś momencie nie ma już więcej beztroskiej zwierzyny łownej. Zwłaszcza zimą, przy niskich temperaturach i połączonym z tym wyższym zużyciem energii, ginie z głodu wiele rysiów, przede wszystkim niedoświadczonej młodzieży. Można by też powiedzieć, że populacja sama się reguluje, jednak ostatecznie umierają żywe istoty, i to okrutną śmiercią.

Natura nie jest zatem szafą z szufladami, nie ma zasadniczo dobrych lub złych gatunków, jak już zdążyliśmy zobaczyć na przykładzie wiewiórek. Tutaj łatwiej nam jednak niż w przypadku wspomnianego na początku kleszcza wczuć się w sytuację zwierząt i przynajmniej obudzić w sobie zainteresowanie ich losem. Ale i ów paskudny drobiazg ma uczucia, czego empirycznie można dowieść przynajmniej w wypadku najprostszych odruchów, takich jak głód. Bo tylko wtedy, gdy małym pajęczakom burczy w brzuchu, zaczynają pożądać krwi ssaków. Pusty żołądek musi być zatem nieprzyjemnym doznaniem, przede wszystkim wówczas, gdy nikt go nie napełnił od blisko pół roku – bo tak długo w skrajnej sytuacji wytrzymają kleszcze do następnego posiłku. Gdy obok nich przejdzie ciężkim krokiem duże zwierzę, wyczuwają wstrząsy, czują również pot i inne wyziewy ciała. Prędko wyciągają przed siebie przednie nóżki i przy odrobinie szczęścia udaje się im przyczepić do przemieszczających się nóg albo ciała i ruszyć w podróż. Następnie kleszcze pełzną do jakiegoś przytulnie ciepłego miejsca o cienkiej skórze i tam się wgryzają. Ryjkiem zahaczają się w ranie i chłepcą płynącą krew. Małe wampiry są w stanie wtedy zwielokrotnić swą wagę ciała i puchną na kształt grochu. Muszą przejść trzy stadia linienia i przed każdym z nich znaleźć nową ofiarę, by zatankować krew – z tego powodu ich dorastanie może potrwać do dwóch lat. Gdy jednak wreszcie do tego dojdzie, mniejsze samczyki i większe samiczki są tak opite krwią, że niemal pękają. Nadchodzi czas na wielki finał. Samczyki muszą kopulować. Muszą? Chcą! Pchają je te same popędy co ludzi, pożądliwie szukają partnerki, by uczepić się jej pazurkami i przejść do działania. Następnie – i tu na szczęście nie ma dalszych analogii – umierają. Samiczka żyje zaś jeszcze na tyle długo, by złożyć do dwóch tysięcy jaj. Po czym i ona rozstaje się z tym światem.

Zwierzęta, dla których najwyższym szczęściem lub też – bo nie da się tego jeszcze dowieść – przynajmniej kulminacją życia jest spłodzenie liczonego w tysiącach potomstwa i późniejsza śmierć z wyczerpania, nazwalibyśmy pełnymi poświęcenia, gdyby chodziło o ssaki. Jednak dla kleszczy z ludzkich uczuć przewidziane jest chwilowo, niestety, jedynie obrzydzenie.

CIEPŁE PSZCZOŁY, ZIMNE JELENIE

Kto tego nie pamięta z lekcji biologii? Świat zwierząt – oprócz podziału na wszelkie inne kategorie – dzieli się na stałocieplne i zmiennocieplne. Tak, znowu spotykamy się z szufladkowaniem, ale sami zobaczycie, że tu też się ono nie sprawdza! Wróćmy jednak najpierw do podziału naukowego. Zwierzęta stałocieplne same sobie regulują temperaturę ciała i utrzymują ją na stałym poziomie, najlepszym tego przykładem jesteśmy my, ludzie. Gdy robi się nam zimno, mięśnie zaczynają nam drżeć i produkujemy w ten sposób niezbędne ciepło. Jeśli zaś robi się nam za gorąco, pocimy się i chłodzimy przez parowanie. Zwierzęta zmiennocieplne są natomiast zdane na łaskę i niełaskę temperatur zewnętrznych – jeśli jest za zimno, koniec z ruszaniem się gdziekolwiek. Tak więc ciągle znajduję zimą wśród szczap drewna opałowego muchy, które nie są w stanie poderwać się do lotu. Pełzają wprawdzie w ekstremalnie zwolnionym tempie po polanach, ale przy temperaturach poniżej zera na więcej ich nie stać. Bezsilnie muszą żywić nadzieję, że w zimnej porze roku nie wytropi ich żaden ptak. Taka jest dola wszystkich owadów. Wszystkich? Nie, moich (i wszystkich pozostałych) pszczół nie.

W zasadzie dawniej nie lubiłem pszczół. Trudno jest nawiązać relację uczuciową z owadami, a jeśli na domiar złego one jeszcze żądlą, niemal automatycznie czujemy do nich antypatię. Ponadto bardzo rzadko jem miód – to nie są dobre warunki wyjściowe na pszczelarza. Ale tymczasem zdążyłem już nim zostać. Właściwie chodziło tylko o owocowanie jabłoni – na naszych drzewach wiosną nie pojawiła się ani jedna pszczoła. By to zmienić, nabyłem w 2011 roku dwa roje. Odtąd nie ma żadnych kłopotów z zapylaniem, miodu mamy pod dostatkiem, przede wszystkim jednak dowiedziałem się, że pszczoły pod niejednym względem różnią się od innych owadów. To są właściwie zwierzęta stałocieplne. To też jest główny powód ich zbierackiego zapału. Nektar, przerobiony na miód i zmagazynowany w plastrach, służy jako zapas paliwa na zimę. Pszczoły bowiem lubią mieć ciepluteńko. Ich temperatura komfortu wynosi pomiędzy 33 a 36ºC, czyli niewiele mniej niż u ssaków. Latem to żaden problem, wręcz przeciwnie – do pięćdziesięciu tysięcy osobników wytwarza mięśniami podczas pracy porządną ilość ciepła. Trzeba je za wszelką cenę odprowadzić, by rój się nie przegrzał. W tym celu robotnice przynoszą do ula wodę z najbliższego bajorka i zostawiają, by wyparowała. Krążenie powietrza zapewniają tysięczne uderzenia skrzydełek, tak że między plastrami tworzy się chłodzący przeciąg. Wspólny wysiłek zawodzi jedynie w wypadku zbyt dużych katastrof. Przy ataku z zewnątrz lub niefachowym transporcie uli z jednego stanowiska na drugie podrażnione owady przegrzewają się tak silnie, że plastry się topią, a zwierzęta umierają z przegrzania. To zjawisko w żargonie fachowym nazywa się „zaparzeniem". Niemieckie określenie „verbrausen"* pochodzi od głośnych uderzeń skrzydeł całego roju, który w panice sprowadza na siebie zagładę.

Jednak w normalnych warunkach regulacja ciepłoty działa bezbłędnie. Przez większą część roku jest raczej za zimno, a wytwarzanie ciepła znajduje się na pierwszym miejscu. Drżenie mięśni oznacza zużycie kalorii, niezbędna energia zaś pobierana jest w formie miodu. W końcu nie jest on niczym innym jak zagęszczonym, skoncentrowanym roztworem cukru, zmieszanym z witaminami i enzymami. Przede wszystkim zimą jeden rój spala go powyżej trzech kilo na miesiąc. Zapasy cały czas maleją, podobnie jak to się dzieje z zimowym sadłem u niedźwiedzi, ale rój także gwałtownie się kurczy.

Gdy robi się bardzo zimno, owady tulą się ciasno do siebie i tworzą kulę. W jej wnętrzu jest najcieplej, a tym samym wyjątkowo bezpiecznie – to jasne, że tam musi siedzieć królowa. A pszczoły, które znajdują się na obrzeżu? Przy temperaturze na zewnątrz poniżej 10°C zamarzłyby po kilku godzinach, tak więc siedzące w środku roju krewniaczki uprzejmie je zmieniają, by mogły się rozgrzać wewnątrz skłębionej gromady.

Owady nie są więc bynajmniej zawsze zmiennocieplne, jak tego dowodzą pszczoły. Pewnie pomyśleliście sobie, że i odwrotnie – ssaki nie zawsze są stałocieplne. W zasadzie

---

* To określenie można by przetłumaczyć dosłownie jako „zaszumieć się".

utrzymywanie stałej temperatury ciała uchodzi za sztandarową dyscyplinę ssaków (i ptaków). W zasadzie. Mały jeż pokazuje, że nie ma reguły bez wyjątków. Wprawdzie podobnej wielkości wiewiórka również w śniegu dzielnie skacze w niektóre dnie po gałęziach, ale kolczasty mieszkaniec przyziemia całkowicie przesypia zimną porę roku. Kolce nie chronią go tak dobrze jak gęste futro wiewiórki, dlatego zużywa mnóstwo energii, gdy spada temperatura. A ponadto jego ulubione dania, chrząszcze i ślimaki, odizolowały się już od świata i nie da się ich znaleźć na powierzchni gruntu. Cóż więc rozsądniejszego, niż też zrobić sobie małą przerwę? Kolczaste mikrusy zwijają się wygodnie w kłębek w przytulnie wymoszczonym gnieździe, które często zakładają głęboko zagrzebane w kupie liści czy chrustu. Tu zapadają w głęboki, wielomiesięczny sen. W przeciwieństwie do wielu innych gatunków nie tylko nie utrzymują już temperatury ciała na poziomie 35°C, lecz po prostu odcinają dopływ energii. W rezultacie ciepłota ich ciała spada do temperatury otoczenia, nawet do 5°C. Częstość uderzeń serca zwalnia od dwustu do ledwie dziewięciu uderzeń na minutę, liczba oddechów również spada z pięćdziesięciu do czterech na minutę. Zwierzę niemal nie zużywa przez to energii i może przetrwać do wiosny dzięki rezerwom organizmu.

Jeże w ogóle nie przejmują się zimnem, wręcz przeciwnie. Jak długo na dworze panują trzaskające mrozy, najlepiej sprawdza się opisana wyżej strategia. Zagrożenie życia pojawia się dopiero przy temperaturach w zimie powyżej 6°C. Jeż bowiem zaczyna powoli się rozbudzać, a głęboki sen przechodzi w stan drzemki, w którym zwierzę zużywa wyraźnie więcej energii, lecz mimo to nie jest jeszcze w stanie reagować. Jeśli taka pogoda przeciągnie się, kilkoro śpiochów umrze z głodu. Dopiero od 12°C jeż znów staje się w pełni mobilny i mógłby coś zjeść, gdyby udało mu się coś znaleźć – lecz potencjalne ofiary tkwią nadal w swych zimowych kryjówkach. Na szczęście dla takich skowronków ktoś je czasem znajdzie i zaniesie do ośrodka rehabilitacji dla jeży, gdzie je odkarmią.

A o czym śni jeż pogrążony w zimowym śnie? W rzeczywistej fazie snu głębokiego nie zachodzi niemal przemiana materii – i dlatego zapewne nie ma żadnych marzeń sennych. Podczas snu umysł zużywa bowiem bardzo dużo energii, ponieważ działa na wysokich obrotach. Bez przemiany materii nie ma więc na pewno kina w głowie. Ale jak ma się sprawa z drzemką powyżej 6°C? Jeżeli jeż może teraz śnić (bądź co bądź wzrasta zużycie energii), to oglądane obrazy należą chyba do koszmarów, z których chętnie by się przebudził, ale nie może. Tak czy owak znajduje się w sytuacji zagrażającej życiu i może nawet przeczuwa to w półśnie, i walczy rozpaczliwie o odzyskanie świadomości. Biedne maluchy – zmiana klimatu pociąga za sobą niestety coraz więcej takich ciepłych zim.

Wiewiórki mają nieco lepiej, choć tylko jeśli mówimy o snach. Nie zapadają w prawdziwy sen zimowy, lecz przesypiają dwa, trzy dni za jednym zamachem, po czym budzą się i robią głodne. Wprawdzie podczas tych przerw w funkcjonowaniu spada im częstość uderzeń serca, przez co zużywają mniej kalorii, ale temperatura ciała pozostaje wysoka. Z tego powodu potrzebują regularnie energetycznego pożywienia w formie żołędzi i bukwi – gdy ich nie ma lub gdy nie mogą ich znaleźć, zwierzęta umierają z głodu. Bliższa jeżowej jest strategia jeleni, bo zaskakującym trafem one również potrafią obniżać temperaturę w zewnętrznych częściach ciała. Robią to stale w ciągu dnia, tak że ich zimowy wypoczynek trwa tylko kilka godzin. Jednak w ten sposób ograniczają zużycie cennej tkanki tłuszczowej. Mimo niskich temperatur na dworze przemiana materii jest wówczas do sześćdziesięciu procent niższa niż latem[25]. Jednak wtedy pojawia się kolejny problem – trawienie pożywienia wymaga przemiany materii, która działa na wysokich obrotach. Przeważnie nie da się przetrwać zimy zupełnie bez jedzenia. Jeleń zatem je, a potem często potrzebuje do strawienia pokarmu więcej energii, niż ten jej dostarczył. Stąd dokarmianie zwierzyny płowej przez myśliwych może paradoksalnie prowadzić do tego, że zwierzęta masowo padają z głodu. Tak się zdarzyło w moim rodzimym powiecie Ahrweiler, gdzie w 2013 roku rozlegał się krzyk oburzenia wśród miejscowych nemrodów, bo wbrew rozporządzeniu landu chętnie by dokarmiali zwierzęta na jeszcze większą skalę – bądź co bądź padło wtedy z głodu blisko sto jeleni. Prawdopodobnie kilka by przeżyło, gdyby nie zmuszono ich prezentem z siana i rzepy do wysiłków trawiennych. W naturze właśnie dlatego zwierzęta zimą czerpią głównie z własnych zapasów tłuszczu, które nagromadziły dzięki jesiennemu obżarstwu.

Zaczęło mnie kiedyś dręczyć pytanie, czy jeleni zimą stale nie męczy głód – nie byłaby to przyjemna myśl. Stanie w śniegu, gdy w brzuchu burczy, do tego z mocno wychłodzonymi kończynami, musi być z pewnością bardzo niemiłe, przynajmniej dla ludzi. Tymczasem dowiedziono, że możemy wykluczyć wówczas uczucie głodu u zwierząt. Głód jest przecież bodźcem podświadomości, która się domaga, by niezwłocznie coś zjeść. A to uczucie tylko wówczas pobudzi instynkt jedzenia, gdy spożycie kalorii będzie rozsądne. Weźmy na przykład wstręt. Nawet jeśli jesteście głodni, zrezygnujecie z pożywienia, jeśli czuć je zgnilizną. Podświadomość wyłącza wtedy przejściowo uczucie głodu i zastępuje je bezwzględnym nakazem, by nie tykać takiego pokarmu. Nie wiadomo, czy u jeleni występuje niechęć do pączków i uschłych traw czy też jedynie uczucie nasycenia. Tak czy owak wiemy, że zwierzęta zimą mimo postu słabiej odczuwają głód, bo – generalnie rzecz biorąc – bardziej im się to opłaca ze względu na bilans energetyczny.

Opisany mechanizm obniżania temperatury i ograniczania metabolizmu nie działa równie sprawnie u wszystkich jeleni. Zależy to od charakteru, a ten ma nie najmniejszy wpływ na hierarchię i pozycję w stadzie. Silne osobowości wśród zwierzyny płowej są zwłaszcza w zimie narażone na szczególne niebezpieczeństwa. Przewodzą stadu, więc muszą bezustannie zachowywać czujność. Powoduje to, że mają wysoką częstość uderzeń serca, a przez to również wysokie zużycie energii. Wprawdzie przywódcy są uprzywilejowani w dostępie do dobrych żerowisk, ale nie na wiele im się to przydaje. Nędzne zimowe pożywienie złożone z wyschniętych traw i kory drzewnej nie dostarcza dostatecznej ilości kalorii, tak że trzeba zużywać zapasy tłuszczu, i to w dużo większym stopniu, niż czynią to niżsi rangą pobratymcy. Ci w lodowate zimowe noce karnie stoją, pogrążeni w drzemce, jedzą wprawdzie mniej niż osobnik dominujący, jednak zużywają o wiele mniej energii od niego – dzięki czemu pod koniec zimy ich organizm ma więcej rezerw. Przewodzenie stada zmniejsza zatem znacząco szanse przetrwania, choć wszędzie przywódca może się pierwszy obsłużyć – tak brzmi orzeczenie wiedeńskich uczonych, którzy do tak zaskakującego wniosku doszli na podstawie badań na wielkich wybiegach obserwacyjnych. Naukowcy twierdzą również, że w przyszłości należy o wiele bardziej uwzględniać w badaniach indywidualny życiorys i osobowość zwierzęcia, mniej zaś przeciętne wartości dla danego gatunku. W końcu ewolucja działa dokładnie w taki sposób – dzięki odchyleniom od normy[26].

A zatem zmiennocieplność i stałocieplność to dwie kategorie, które płynnie w siebie przechodzą. Jak więc wygląda sprawa z marznięciem? To uczucie, za pomocą którego ciało sygnalizuje, że jego temperatura niebezpiecznie spada i należy przedsięwziąć odpowiednie działania. U ludzi spadek temperatury ciała poniżej 34°C oznacza koniec zabawy. Już wcześniej zaczynamy się trząść i staramy się znaleźć w cieplejszym pomieszczeniu. Z naszymi końmi dzieje się podobnie – zimą w wilgotne i wietrzne dni zaczyna się trząść przede wszystkim starsza Zipy i szuka schronienia w wiacie na pastwisku. Klacz ma mniejszą masę tłuszczową i mięśniową od swojej koleżanki, więc jej ciało mimo zimowego futra jest gorzej chronione przed zimnem i czasem to nie wystarcza. Zakładamy jej wtedy ciepłą derkę, póki nie przestanie się trząść i nie odzyska dobrego samopoczucia. Widać wyraźnie, że zimno jest dla Zipy tak samo nieprzyjemne jak dla nas.

A co z owadami? Ich temperatura ciała zmienia się w tożsamym rytmie z temperaturą powietrza, nie dysponują one mechanizmem utrzymywania określonej ciepłoty. Jesienią zwierzęta chowają się w ziemi lub wpełzają pod korę i w łodygi roślin, by nie przemarznąć do cna. Gromadzą substancje w rodzaju gliceryny, by tworzący się w komórkach ciała lód ich nie rozsadził. Zapobiegają w ten sposób powstawaniu dużych i ostrych lodowych kryształów. Jak też odczuwa się coś takiego? Czy takie gatunki w ogóle odczuwają zimno? Gdy przyglądam się żabom i ropuchom, które późną jesienią wskakują do lodowatego stawu, by zapaść w drzemkę na dnie zbiornika, trudno mi sobie wyobrazić, że mogłyby marznąć. Zimna woda dlatego wydaje się nam tak nieprzyjemna, bo o wiele lepiej odprowadza ciepło ciała niż powietrze. Jednak gdy temperatura ciała jest taka sama jak stawu, to skok do niego nie będzie niemiły. Czyli ropuchy raczej w nim nie zmarzną.

Ale czy owady, jaszczurki lub węże rzeczywiście nie czują ciepła? Nie mieści mi się to w głowie, ostatecznie zwierzęta te skwapliwie wyszukują sobie wiosną nagrzane słońcem miejsca. Im bardziej rozgrzeją się ich ciałka, tym stają się zwinniejsze. Ciepło jest więc przez nie odbierane jako coś pozytywnego – okoliczność, która drogo kosztuje takiego na przykład padalca. Bowiem w promieniach słońca wyjątkowo szybko nagrzewają się jezdnie. Asfalt gromadzi ciepło, a nawet jeszcze nocą je oddaje, tak więc szybko można tam zatankować paliwo – no chyba że małego czciciela słońca przejedzie samochód, co niestety bardzo często się zdarza. Abstrahując od tych dramatów, oczywiste jest, że nawet zwierzęta zmiennocieplne muszą w jakiś sposób odczuwać temperaturę. Wolno jednak powątpiewać w to, czy odczuwają ją tak samo jak my.

INTELIGENCJA ROJU

Owady społeczne stosują podział pracy. Naukowcy wcześnie ukuli pojęcie „superorganizmu", w którym poszczególne osobniki są tylko cząstką wielkiej całości. W lesie typowymi przedstawicielami tego nurtu są mrówki rudnice. Budują gigantyczne gniazda – największe, jakie napotkałem w moim rewirze, miało średnicę pięciu metrów. W ich wnętrzu siedzi przeważnie kilka królowych, składają jaja i w ten sposób dbają o ciągłość społeczności. Troszczy się o nie do miliona robotnic. Najniższą z tak zwanych kast tworzą uskrzydlone samce, które razem z królowymi wylatują z gniazda, by dokonać kopulacji, po czym umierają. Robotnicom pisany jest niezwykle długi jak na owady, bo nawet sześcioletni, żywot, ale królowe, dożywając do dwudziestu pięciu lat, usuwają je w cień. Nie dosłownie, bo mrówczy lud potrzebuje słońca, by osiągnąć temperaturę działania. Z tego powodu czuje się jak w domu w prześwietlonych słońcem lasach iglastych.

Mrówki leśne mogły się rozprzestrzenić w Europie Środkowej daleko poza ich naturalny biotop dzięki preferowanym tu nasadzeniom świerków i sosen. Fakt, że są objęte ochroną, zawdzięczają nie tyle swej rzadkości, ile raczej sławie „policji leśnej". Mają jakoby pomagać leśnikom w usuwaniu takich szkodników jak na przykład korniki czy gąsienice motyli, co jednak czerwono-czarnych owadów w najmniejszym stopniu nie interesuje. Oprócz wyżej wymienionych pożerają oczywiście również chronione, bardzo rzadkie gatunki – nasze kategorie zwierząt pożytecznych lub szkodliwych są im nieznane. Ale nie zmniejsza to ani na jotę fascynacji, jaką budzi taka zwierzęca społeczność.

Ich krewniaczki, pszczoły, żyją podobnie i są wyjątkowo dobrze zbadane pod względem naukowym. Również mają ścisły podział pracy, do której wdrażane są już w kolebce. Weźmy na przykład królową, która rozwija się z normalnie zapłodnionej larwy. Podczas gdy inne pszczele maluchy karmione są mieszanką z nektaru i pyłku, larwy, z których kiedyś ma się wykluć królewski majestat, otrzymują specjalny pokarm – mleczko pszczele. Jest ono produkowane w gruczołach gardzielowych robotnic i chociaż zwykłe larwy rozwijają się do postaci dorosłej w ciągu dwudziestu jeden dni, to taka turbodieta daje nam królową już po szesnastu dniach. Tylko raz w życiu rusza ona w podróż – to lot godowy, w trakcie którego kopuluje z trutniami, czyli pszczelimi samczykami. Po powrocie do roju przez resztę życia (cztery do pięciu lat) składa dzień w dzień do dwóch tysięcy jaj, jedynie z krótką przerwą w zimie. Robotnice natomiast przez całe swe krótkie życie ciężko harują. W pierwszych dniach po przepoczwarzeniu się troszczą się o larwy, po półtora tygodnia zajmują się także składowaniem i przerabianiem na miód nektaru. Dopiero po niecałych trzech tygodniach wolno im wylecieć na łąki i pola, by przez kolejne trzy tygodnie zbierać miód. Wtedy są już wyniszczone pracą i umierają. Tylko pszczoły zimowe, które w skłębionym gronie otulającym królową czekają na wiosnę, mogą być starsze. Jedynym natomiast zadaniem trutni jest zapłodnienie królowej, a ponieważ zdarza się to tylko raz i niewiele z nich zyskuje tę szansę, przez większość czasu się obijają.

Wszystko jest zatem ściśle zaprogramowane, po najdrobniejsze czynności. Pszczoły za pomocą tańca we wnętrzu ula przekazują sobie informacje o źródłach nektaru i odległości do nich, wyrabiają miód z nektaru, dodając do niego wydzieliny gruczołów i susząc tę mieszaninę na swych maleńkich języczkach. Wypacają wosk i artystycznie formują z niego plastry. Wprawdzie nauka doceniła te dokonania, ale że trudno jej pojąć, by tak maleńkie owadzie móżdżki mogły wspiąć się na taki poziom doskonałości, uznała je wszystkie razem za rodzaj superorganizmu. Osiągnięcia poznawcze określono mianem inteligencji roju. W takim organizmie zwierzęta do tego stopnia działają wspólnie, że ich dokonania wydają się rezultatem współpracy komórek dużo większego ustroju. Poszczególne zwierzę uchodzi za stosunkowo głupie, jednak współdziałanie różnorodnych procesów oraz zdolność do reakcji na bodźce środowiskowe traktuje się w sumie jako przejaw inteligencji. W takim ujęciu odmawia się poszczególnym osobnikom indywidualności, redukuje do pojedynczych klocków czy puzzli. W konsekwencji w starym pszczelarskim żargonie mówi się o pszczelim roju jako o „pszczelozwierzu"*, a więc rój traktuje jak jedną istotę.

Uskrzydlonym stworzeniom jest jednak głęboko obojętne, w jaki sposób je widzimy, a odkąd sam mam pszczoły, wiem, że wyżej zaprezentowany pogląd jest błędny. Bo w tych małych łebkach mnóstwo się dzieje. Pszczoły potrafią na przykład znakomicie rozpoznawać osoby – kto je drażni, padnie ofiarą ataku, kto zostawia je w spokoju, ten może znacznie bliżej do nich podejść. Profesor Randolf Menzel z Wolnego Uniwersytetu w Berlinie odkrył jeszcze inne zdumiewające rzeczy: młode pszczoły, które po raz pierwszy opuszczają ul, wykorzystują słońce jako rodzaj kompasu. Dzięki niemu tworzą sobie wewnętrzną mapę okolic swojego domu i zaznaczają na niej trasy przelotu[27], czyli – krótko mówiąc – mają pojęcie o tym, jak wygląda otoczenie. Jeśli więc chodzi o orientację w przestrzeni, przypominają nas, ludzi, bo my również dysponujemy taką mapą wewnętrzną. Ale to jeszcze nie wszystko. Za pomocą tańca wywijanego robotnice wracające do ula powiadamiają krewniaczki o wydajności, położeniu i odległości do źródła nektaru, na przykład obficie kwitnącego pola rzepaku. Randolf Menzel i jego współpracownicy zadbali o to, by rzepak zniknął. Sfrustrowane pszczoły wracały do domu i z tańca innych robotnic, które odkryły kwiaty w jeszcze innym miejscu, dowiadywały się

---

* Przytoczone określenie pochodzi z książki Heinricha Gritscha *Nie bójmy się pszczół*, tłum. A. Nowakowska-Wawrzyniak, Stróże 2011, i oddaje niemiecki zwrot „der Bien" (dosłownie „ten pszczół") w opozycji do „die Biene", czyli pszczoły. Polszczyzna pszczelarzy nie zna podobnego słowa, rój składa się z poszczególnych pszczół, które nie tracą swej indywidualności.

o jego współrzędnych. Ale badacze usunęli również to drugie źródło, co oznaczało kolejne powroty sfrustrowanych wędrownic. Jednak Menzel zauważył coś zupełnie nowego – zdarzały się pszczoły, które po raz drugi sprawdzały pierwsze miejsce i dopiero gdy stwierdziły, że faktycznie nic tam nie znajdą, leciały jak po sznurku do drugiego miejsca. Ale jak im się to udawało? Taniec wywijany powiadamiał je przecież tylko o odległości i położeniu źródła nektaru względem ula. Jedyne wyjaśnienie, jakie się nasuwa, jest takie, że owady zmyślnie wykorzystywały informacje dotyczące drugiego miejsca, by dotrzeć do niego z punktu numer jeden[28]. Można też powiedzieć, że przypominały je sobie, zastanawiały się, a potem opracowywały nową trasę. Inteligencja roju nie na wiele by im się tutaj zdała – nic podobnego – te myśli rodzą się w małym, pszczelim łebku. A przy okazji jeszcze inne refleksje. Bo gdy pszczoła tak planuje przyszłość, zastanawia się nad rzeczami, których jeszcze nie widziała, i w tym kontekście postrzega swe ciało, zyskuje świadomość samej siebie. „Pszczoła wie, kim jest", stwierdził Randolf Menzel[29]. I rój jej do tego niepotrzebny.

UKRYTE ZAMIARY

Jeśli już nawet pszczoły wiedzą, kim są, i planują swą przyszłość, to cóż dopiero mówić o ptakach i ssakach? Podczas obserwacji zwierząt zawsze zadaję sobie pytanie, czy dane osobniki zasadniczo świadomie przeżywają swe działania. Bardzo trudno to stwierdzić laikowi, którym przecież jestem niezależnie od wszelkiego zainteresowania tematem. Nie chciałbym zdawać się jedynie na rozprawy naukowe, lecz sam zobaczyć, jak myśli jedno czy drugie zwierzę. Możliwe, że brzmi to nieco nierealistycznie, bo przecież nawet u ludzi trudno jest stwierdzić coś takiego na podstawie zwykłej obserwacji. Jednak w trakcie rozmowy przy śniadaniu dzieci mi przypomniały, że przynajmniej przez moment doświadczyłem kiedyś czegoś podobnego.

Pisałem już o wronie, która każdego ranka czekała na nas na pastwisku dla koni. Czarny ptak wraz ze swymi pobratymcami zawsze trzymał się w pobliżu i wyraźnie miał w okolicy swój rewir. Na wrony niestety ciągle jeszcze można polować i do nich strzelać, dlatego te inteligentne zwierzęta bardzo się boją ludzi i zwykle utrzymują wobec nich bezpieczny dystans około stu metrów. Jednakże pastwiskowe wrony z czasem przywykły do nas i uważają trzydzieści metrów za dostateczną odległość – z wyjątkiem jednej, która powoli oswajała się coraz bardziej. W dobre dni pozwala nam podejść do siebie do pięciu metrów, co za każdym razem nas wzrusza. Rozmawiamy z nią i zawsze sypiemy jej nieco śruty na koniowiąz stojący przy bramie na pastwisko. Aha – pokarm! Nie, przywiązanie wrony do nas nie bierze się ani z bezgranicznej ufności, ani z zainteresowania nami; tak, ona wie, że z naszym pojawieniem się wiąże się posiłek. A mimo to codziennie cieszymy się na spotkanie z ptakiem i po prostu nie stawiamy emocjonalnej poprzeczki zbyt wysoko, bo tak też jest dobrze. Dzięki temu mogłem wspomnianego ranka dokonać obserwacji, którą najpierw uznałem jedynie za zabawną. Był grudzień, łąka rozmiękła od deszczu lejącego już całe tygodnie, tak że z każdym krokiem w ciężkich gumiakach błoto tryskało na wszystkie strony. Karmienie koni w takich warunkach nie zawsze bywa przyjemne, przede wszystkim wtedy, kiedy wiatr zacina drobnym deszczem prosto w twarz. Nieważne, konie czekały już na swoją poranną porcję śruty, a ruch na świeżym powietrzu, jak wiadomo, zawsze dobrze robi. Żeby młodsza z klaczy nie spałaszowała od razu porcji starszej, muszę czekać i w razie czego interweniować, gdy Bridgi przechodzi do Zipy i zamierza się tam obsłużyć. Z reguły sama moja obecność wystarcza, by młoda grzecznie się zachowywała, i podczas końskiego śniadania mam czas na podziwianie krajobrazu. Albo wrony.

Tego ranka przyleciała z lasu nieopodal, bo już dawno wypatrzyła moją postać w zielono-pomarańczowej kurtce z białym wiadrem na paszę w ręce. Ale zamiast polecieć prosto na swój punkt obserwacyjny, czyli słupek w pobliżu koniowiązu, wylądowała dwadzieścia metrów dalej na pastwisku. Z daleka już widziałem, że trzyma coś w dziobie, a teraz rozpoznałem – to był żołądź. Wrona usiłowała schować smaczny kąsek i w tym celu wygrzebywała dołek. Następnie wcisnęła tam żołądź i rozrzuciła wiecheć trawy nad dołkiem. Podziwiałem perfekcyjny kamuflaż, a wtedy wrona obróciła się w moją stronę. Czyżby się zorientowała, że ją obserwowałem? Natychmiast wyciągnęła żołądź z kryjówki i na nowo zaczęła kopać jamkę w ziemi. Jedną? Nie, kilka, a przy każdej zachowywała się tak, jakby wpychała do niej żołądź. Zniknął on dopiero w ostatnim dołku, ptak zaś był usatysfakcjonowany, w końcu zadał sobie niemały trud, by mnie oszukać i przeszkodzić mi w pożarciu jego ulubionego dania. Dopiero teraz wrona podleciała i usiadła na belce, by spożyć niewielką porcyjkę ziaren.

Gdy później opowiadałem tę historyjkę w domu przy śniadaniu, moje dzieci uznały, że to piękny przykład przyszłościowo zorientowanego myślenia. I dopiero wtedy mnie olśniło! Cały czas bawiło mnie, jak ptak ukrywa przede mną pożywienie, a przecież to samo w sobie jest wspaniałym osiągnięciem inteligencji. W końcu musiał się zastanowić, co mogłem widzieć i jak mimo jawności swoich działań ma ukryć żołądź, by wywieść mnie w pole. Ale wrona na moich oczach przemyślała jeszcze jedną sprawę. Wroni żołądek ma jednak ograniczoną pojemność, więc po konsumpcji żołędzia zdecydowanie byłaby najedzona. Mogła oczywiście przylecieć do oferowanego ziarna, lecz z pełnym brzuchem byłaby zdolna co najwyżej do ukrywania pożywienia. Jednak utykanie pojedynczych ziaren tu i tam jest bardzo męczące, a zatem ptak mimo głodu ulokował wielkiego żołędzia w bezpiecznym miejscu, a później podleciał do koniowiązu, by w spokoju napełnić żołądek. Następnie udał się do kolegów na pobliskie pastwisko i jestem pewien, że w dogodnym czasie wrócił po swego żołędzia. To był perfekcyjny harmonogram pozwalający maksymalnie wykorzystać ofertę żywieniową, a wrona, by go opracować, musiała brać pod uwagę przyszłość w swych przemyśleniach. Dla mnie była to fantastyczna zachęta do jeszcze baczniejszego przyglądania się zwierzętom w trakcie prowadzenia obserwacji, a przede wszystkim do jeszcze wnikliwszego zastanawiania się, co też właściwie widziałem. Kto wie, może wy też oglądaliście już coś podobnego i teraz możecie zgłębić sens wydarzenia.

TABLICZKA MNOŻENIA

W książce *Sekretne życie drzew** pisałem o tym, że drzewa potrafią liczyć. Wiosną rejestrują liczbę ciepłych dni, kiedy temperatura wynosi ponad dwadzieścia stopni, i dopiero gdy uzbiera się ich dostatecznie dużo, wypuszczają pąki. A jeżeli już duże rośliny są zdolne do takich rzeczy, to oczywiste wydaje się przypuszczenie, że zwierzęta również to potrafią. W każdym razie ludzie od dawna o tym marzą. Tak więc stale pojawiały się doniesienia o cudownych zwierzętach, na przykład o „mądrym Hansie". Ogier potrafił literować, czytać i liczyć – tak w każdym razie twierdził jego właściciel Wilhelm von Osten, który w 1904 roku w Berlinie uczynił z konia publiczną atrakcję. Komisja naukowa Instytutu Psychologicznego potwierdziła końskie talenty,

---

* Książka ukazała się nakładem Wydawnictwa Otwartego: Peter Wohlleben, *Sekretne życie drzew*, tłum. E. Kochanowska, Kraków 2016.

nie znajdując wszakże dla nich wytłumaczenia. Ostatecznie oszustwo się wydało, gdy okazało się, że mądry Hans reagował na niezauważalne poruszenia głową właściciela. Kiedy tylko von Osten znikał z pola widzenia ogiera, ulatniały się również jego talenty[30].

Pod koniec XX wieku mnożyły się jednak twarde fakty, które potwierdzały przynajmniej zdolność liczenia u wielu gatunków zwierząt. Chodziło zresztą przeważnie o pożywienie i szacowanie jego większych lub mniejszych ilości. Uważam za banał przyznawanie zwierzętom zdolności w tej mierze. W sytuacji wyboru sięgnięcie raczej po większą niż mniejszą porcję wydaje się logicznym mechanizmem ewolucyjnym, prawda? O wiele bardziej interesujące jest pytanie, czy potrafią one naprawdę liczyć.

Być może uda się nam zbliżyć do odpowiedzi dzięki naszym kozom. W tym wypadku nie ja na to wpadłem, lecz mój syn, który odkrył, co też takiego może się dziać w umysłach Bärli, Flocke i Vita. Podczas naszego urlopu Tobias przejął opiekę nad naszą małą arką Noego. Zazwyczaj kozy dostają w południe niewielką porcję śruty, co stanowi dla zwierząt kulminacyjny punkt dnia. Chciwie przybiegają, gdy nadchodzi pora przekąski i pojawiamy się na pastwisku. Rano i wieczorem, kiedy „tylko" karmimy konie stojące obok na pastwisku, ledwie nas zauważają.

Tobias poprzesuwał jednak pory karmienia według swego rytmu dnia, i to każdego dnia inaczej. Czasami karmił kozy dopiero pod wieczór, konie zaś dostawały ostatni posiłek późnym wieczorem. Gdy więc pojawił się wieczorem na pastwisku po raz drugi, Bärli ze swoją bandą popędziła ku niemu, mecząc wniebogłosy i domagając się posiłku ze śruty.

Mój syn tego dnia pojawił się po raz drugi na pastwisku, a zatem niezależnie od pory doby kozy oczekiwały przysmaku. Czy wobec tego potrafią liczyć? Śrutę zawsze lubiły, ale tym razem zażądały jej o nietypowej porze. Czy wiedziały, że Tobias przyszedł po raz drugi na pastwisko, więc należy im się zasłużona porcja? Gdyby chodziło o zwykłe obżarstwo, popadałyby w typową dla wielu zwierząt domowych żebraninę na sam widok kogoś z nas i domagały się pożywienia. Robiły to jednak tylko podczas jednej z wizyt na pastwisku, czyli środkowej.

A jak w ogóle wyglądają tego rodzaju dowody na inteligencję naszych zwierzęcych krewniaków? Już niemal truizmem jest informacja, że krukowate grają w jednej lidze z małpami człekokształtnymi. Przyjrzyjmy się więc lepiej gołębiom. Te zwierzęta stały się istną plagą w miastach i przyznaję, że kiedy człowiek w nowej kurtce stoi na peronie, to nie jest szczególnie zachwycony, gdy znienacka zostanie opryskany łajnem, co mi się ostatnio przytrafiło. Ale mimo wszystko ptaki te nie zasłużyły sobie na popularne przezwisko „powietrznych szczurów", a to, że wykazując niemały upór, zdołały objąć w posiadanie nasze deptaki, zawdzięczają swojej inteligencji. Profesor Onur Güntürkün z Uniwersytetu Ruhry w Bochum donosi o zdumiewających rzeczach. Jego kolega po fachu szkolił gołębie w rozpoznawaniu obrazów z abstrakcyjnymi wzorami. Po odbytym szkoleniu ptaki potrafiły rozróżniać ni mniej, ni więcej, tylko 725 rozmaitych przedstawień. Zostały one podzielone na obrazy „dobre" i „złe", które parami pokazywano gołębiom. Dziobnięcie w dobry obraz przynosiło pożywienie, jeśli jednak dziób dotknął złego obrazu, nic się nie działo, a dodatkowo jeszcze robiło się ciemno (czego gołębie nie znoszą). Gdyby więc zapamiętały sobie tylko te dobre obrazy, w zupełności by to wystarczyło do zdania testu. Jednakże za pomocą odpowiedniej kontroli naukowcy ustalili, że ptaki nie szachrowały i rzeczywiście nauczyły się wszystkich na pamięć[31].

Zupełnie innego przykładu na umiejętność liczenia dostarczyła nasza suka Maxi, i to w związku z jej poczuciem czasu. Nocą spała twardo i mocno niemal do 6.30. Wtedy zaczynała cichutko skomleć i żądała ode mnie wyjścia na spacer. Dlaczego o 6.30? O tej godzinie zawsze rozlegał się dźwięk budzika i cała rodzina wstawała, by zjeść śniadanie i udać się do szkoły czy do pracy. Maxi musiała mieć dobry zegar wewnętrzny, który jednak wyraźnie spieszył o pięć minut – budzika mogliśmy w zasadzie nie nastawiać. Ale w weekendy sytuacja się zmieniała. Budzik był wyłączony i wszyscy mogliśmy się wyspać. Wszyscy. Bo Maxi w soboty i niedziele nie zgłaszała żadnych życzeń, tylko spała nierzadko dłużej niż my. Piękny przykład tego, że psy potrafią liczyć. Można w tym miejscu podnieść zarzut, że pies, obserwując nasze zachowanie, zarejestrował, że w weekendy dłużej śpimy. Jednak to można wykluczyć, bo w ciągu tygodnia stale nas przecież budziła, zanim zadzwonił budzik, gdy wszyscy jeszcze byli pogrążeni we śnie. W analogicznej zaś sytuacji podczas weekendu tego nie czyniła. Nie ustaliliśmy jednak, dlaczego zostawała wówczas w swoim koszyku i spała równie długo jak my.

CZYSTA FRAJDA

Czy zwierzęta mogą cieszyć się zabawą? Czy potrafią po prostu wykonywać czynności, które w znacznym stopniu są irracjonalne i podczas których odczuwają radość i szczęście? Dla mnie jest to ważne pytanie, bo odpowiedź na nie pomaga rozstrzygnąć kwestię, czy zwierzęta mogą odczuwać pozytywne uczucia jedynie w celu wypełnienia jakiegoś zadania, które służy podtrzymaniu gatunku (jak na przykład radość podczas seksu służącego spłodzeniu potomstwa). Gdyby tak było, to radość i szczęście byłyby dodatkiem do programu przeprowadzanego instynktownie, by zagwarantować i nagrodzić jego realizację. My natomiast jesteśmy w stanie za pomocą zwykłego wspomnienia o cudownych przeżyciach uruchamiać w sobie związane z nimi emocje, czyli sami siebie uszczęśliwiać. Do tej kategorii należy także radość z próżnowania, jak na przykład urlop nad morzem czy zimowy wyjazd o sportowym charakterze w Alpy. Czy to nasza koronna dyscyplina, która odróżnia nas od zwierząt?

Spontanicznie przychodzą mi do głowy saneczkujące wrony. Pewne nagranie wideo w internecie pokazuje ptaka tego gatunku, który uprawia saneczkarstwo na dachu domu. Bierze w tym celu pokrywkę puszki, ciągnie ją na kalenicę, ustawia na spadku i w końcu wskakuje na nią, by zjechać z dachu. Ledwo dojedzie na dół, już wspina się z powrotem po kolejną porcję rozrywki[32]. Sens tej działalności? Trudno dostrzec. Czynnik zabawy? Prawdopodobnie taki sam jak u nas, gdy wskakujemy na odpowiednik pokrywki z drewna czy plastiku i zjeżdżamy na nim z górki na pazurki.

Po co wrona miałaby marnować energię na czynności, które są jej do niczego nieprzydatne? Surowe zasady ewolucyjnej gry nakazują wszakże oszczędzanie sobie wszelkich czynności, które nie przynoszą pożytku i eliminują z wyścigu wszystkich, którzy w tym sensie nie są odpowiednio efektywni. Jednak my, ludzie, od dawna już nie stosujemy się do tego rzekomo niewzruszonego prawa, ponieważ przynajmniej w państwach cieszących się dobrobytem mamy energii w nadmiarze, a zatem możemy ją obracać w zabawę. Dlaczego inaczej miałby postępować inteligentny ptak, który zgromadził już wystarczające zapasy na zimę i część tych kalorii może przeznaczyć na gry i zabawy? Najwyraźniej także wrony potrafią obrócić nadprogramowe rezerwy w irracjonalną zabawę i w ten sposób wyzwolić poczucie szczęścia, kiedy tylko mają na to ochotę.

A jak to wygląda u psów i kotów? Każdy, kto żyje z tymi zwierzętami, może opowiadać o ich instynkcie zabawy. Również nasza suka Maxi chętnie bawiła się ze mną w berka wokół leśniczówki. Wiedziała, że potrafi biec o wiele szybciej niż ja, więc zawsze dawała mi fory, żeby zabawa nie zrobiła się nudna. Robiła wielkie koła wokół mnie, a w którymś momencie zawsze gwałtownie przyspieszała i ruszała w moją stronę. Już prawie mogłem jej dotknąć, ale w ostatniej chwili zmieniała troszeczkę kierunek i trafiałem ręką w próżnię. Po Maxi naprawdę widać było, jak wielką frajdę sprawia jej ten sposób spędzania czasu. Bardzo chętnie wracam do tych wspomnień, a jednak wolałbym przytoczyć tu inne przykłady na dowód istnienia całkowicie irracjonalnych (w pozytywnym sensie) zabaw. Maxi bowiem chciała zapewne tą drogą wzmocnić łączące nas więzi. Z tego powodu wszystkie zabawowe aktywności w obrębie grupy funkcjonują jako społeczne lepiszcze, służąc tym samym celom ewolucyjnym. Energia inwestowana w budowanie więzi tworzy wspólnoty, które są wyjątkowo odporne w obliczu zagrożeń zewnętrznych.

W porządku, przyjrzyjmy się zatem raz jeszcze krukowatym. Istnieje wiele relacji o wronach drażniących psy. W tym celu podkradają się od tyłu i szczypią czworonogi w ogon. Obracający się pies jest oczywiście o wiele za wolny dla ptaków, które chwilkę później zaczynają całą zabawę od nowa. Nie dochodzi tu raczej do produkcji społecznego lepiszcza, ptaki niekoniecznie też ćwiczą jakieś umiejętności – w końcu do ich niezbędnego repertuaru zachowań nie należy ucieczka przed obracającym się psem. Nie, tu w grę wchodzi coś zupełnie innego – wrony wyraźnie potrafią wczuć się w sytuację psa i odczuć, że zawsze jest zbyt wolny i dlatego się denerwuje. Tylko z tego powodu tyle uciechy sprawia im bezustanne prowokowanie go i z góry już cieszą się na jego reakcję. I nie jest to zjawisko wyjątkowe, jak dowodzą rozmaite filmiki w internecie.

POŻĄDANIE

Seks nie jest dla zwierząt odruchem automatycznym. Czytając rozprawy naukowe na temat „Kopulacja", można by sądzić, że musi tu chodzić o procedurę całkowicie pozbawioną uczuć. Hormony wyzwalają instynktowne reakcje, nad którymi zwierzę nie jest w stanie zapanować. Czy u ludzi jest inaczej? Przypomniała mi się pewna parka, jaką przed laty napotkałem w lesie. Właściwie tylko chciałem sprawdzić, kto zostawił auto w krzakach, gdy zza maski wychynęły dwie purpurowe twarze. Znałem i kobietę, i mężczyznę, pochodzili z sąsiednich wiosek i mieli ślubnych partnerów (do dziś zresztą mają). Prędko doprowadzili ubrania do porządku, milcząc, wsiedli do samochodu i zniknęli. Wyraźnie nie chcieli narażać na szwank swoich małżeństw i wyszukali sobie pozornie odległe miejsce na seks. A jednak mimo że nadal pozostawał pewien stopień ryzyka plus ewentualne poważne osobiste konsekwencje, to oboje poniosło. Dla mnie to dobry przykład na to, jak i my jesteśmy zdani na łaskę instynktów.

Wyzwalaczem tych działań jest koktajl hormonalny, wywołujący uczucia euforii i szczęścia. A do czego to w ogóle jest potrzebne? Jeżeli stworzenia mają kopulować, mogłoby to przecież przebiegać równie bezwiednie jak oddychanie – nasz organizm nie uwalnia dodatkowych porcji narkotykopodobnych substancji tylko po to, żebyśmy zaczerpnęli powietrza. Nie, kopulacja jest czymś wyjątkowym, dlatego że wszystkie gatunki stają się wówczas bezbronne. Sadomasochiści wśród zwierząt, ślimaki, w namiętnym uścisku wbijają sobie w ciało w celu stymulacji wapienne strzałki miłosne. Pawie i głuszce zwracają najpierw na siebie uwagę samic, rozpościerając wachlarz z nastroszonych piór ogona, by potem wskoczyć na kurę. Owadzie pary wczepiają się w siebie na barana, natomiast samce ropuch mocno przytrzymują samice pod wodą w miłosnym szale. Czasem jest to nawet kilku samców jeden na drugim, którzy nie są w stanie poluzować uścisku i tak długo przygniatają pod wodą swym ciężarem samicę, że ta tonie.

U kóz, które pod wieloma względami zachowują się podobnie jak jelenie, możemy co roku późnym latem obserwować trochę bardziej skomplikowaną procedurę. Nasz kozioł Vito przeistacza się wówczas w śmierdzącego stwora. Chcąc podobać się damom, skrapia sobie gębę i przednie nogi specyficznymi perfumami – własnym moczem. Żółtą cieczą spryskuje nie tylko skórę, lecz również wnętrze pyska. To, co u nas powoduje odruch wymiotny, zdecydowanie nie chybia celu u kozich samic. Ocierają się głowami o jego futro, by przesiąknąć tym samym zapachem. U wszystkich zainteresowanych najwyraźniej pobudza to produkcję hormonów i burzy krew. Kozioł co chwilę sprawdza węchem, czy któraś z kóz dopuści go już do siebie. W tym celu pędzi je przez pastwisko i meczy z wywieszonym językiem, co po prawdzie wygląda nieco absurdalnie. Jeśli jedna z wybranek się zatrzyma i przykucnie, żeby się wysiusiać, kozioł wtyka nos w strumień i z podwiniętą górną wargą sprawdza, prychając, czy poziom hormonów zwiastuje mu szczęście. Po wielu dniach Vito zostaje wreszcie obdarowany kilkoma upojnymi sekundami.

Wróćmy jednak do pytania, dlaczego w ogóle musi istnieć hormonalna gratyfikacja uczuciowa. Ukrytym powodem jest niebezpieczeństwo wiążące się z aktem kopulacji. Przecież już sama gra wstępna, podczas której samce często zwracają na siebie uwagę, przywabia nie tylko samice. Nie, także głodni drapieżcy są wdzięczni za jaskrawo kolorową bądź hałaśliwą wskazówkę, gdzie szukać smacznego posiłku. I faktycznie niemało samców najrozmaitszych gatunków znika z leśnej estrady, wpadając prosto do ptasich lub lisich żołądków. Sama kopulacja jest jeszcze niebezpieczniejsza – oboje partnerzy są mocno sczepieni ze sobą na sekundy, a czasem nawet na wiele minut, i nie są w stanie ujść przed atakiem.

Nie wiadomo, czy zwierzęta dostrzegają związek między kopulacją a potomstwem, więc czemuż w ogóle miałyby się wystawiać na takie ryzyko? Jedynym powodem może być tylko potężne, uzależniające uczucie orgazmu, który sprawia, że porzucają wszelkie wahania i oddają się tej przyjemności. Nie ma dla mnie najmniejszej wątpliwości, że zwierzęta podczas aktu płciowego doznają intensywnych uczuć.

Przemawia za tym kolejna silna przesłanka: zaobserwowano już u kilku gatunków, jak zwierzęta się same zaspokajają. Czy chodziło o jelenie, konie, żbiki czy niedźwiedzie brunatne – widziano je wszystkie, jak brały sprawy w swoje ręce względnie łapy albo też posługiwały się naturalnymi wspomagaczami w rodzaju pni drzew. Niestety, nie ma zbyt wielu relacji, nie mówiąc już o badaniach naukowych w tym zakresie – być może dlatego, że masturbacja stanowi temat tabu wśród nas, ludzi?

MOCNIEJSZA NIŻ ŚMIERĆ

Czy można w wypadku par zwierzęcych mówić o małżeństwie? Zgodnie ze słownikiem Dudena, jednym z najważniejszych słowników języka niemieckiego, jest to uznana prawnie wspólnota życiowa mężczyzny i kobiety, zaś niemiecka Wikipedia formułuje to tak: „przeważnie uregulowana prawnie, utrwalona forma więzi dwojga ludzi". W wypadku zwierząt forma uznania prawnego nie istnieje, ale niewątpliwie mamy do czynienia z wyjątkowo utrwaloną wspólnotą życiową. Szczególnie wzruszającym przykładem jest tu kruk zwyczajny. To największy z ptaków wróblowych na świecie, a w połowie XX wieku został niemal całkowicie wytępiony w Europie Środkowej. Kruki pomawiano o zabijanie wypasanych zwierząt gospodarskich mniejszych niż bydło. Dzisiaj wiadomo, że to bajka – kruki są sępami Północy, które szukają martwych bądź w najlepszym wypadku umierających zwierząt*. Rozpoczęła się bezlitosna nagonka, a oprócz broni palnej sięgano również po truciznę.

Takie krucjaty przeciwko niepożądanym zwierzętom odnosiły sukces w różnym stopniu. W XX wieku chciano na przykład zlikwidować lisy, bo mogą przenosić wściekliznę. Strzelano do nich, gdzie tylko się pokazały (i dzieje się tak do tej pory), rozgrzebywano ich nory i mordowano przebywające tam szczeniaki. Niezwykle wygodny w użyciu okazał się gaz trujący, wtłaczany w podziemne lisie domostwa. A jednak lis przetrwał, ponieważ ma ogromne zdolności przystosowawcze i rodzi dużo potomstwa. Przede wszystkim zmienia swych partnerów płciowych. Kruki natomiast są wiernymi istotami i pozostają na całe życie ze swym partnerem. W tej mierze rzeczywiście jest usprawiedliwione mówienie o prawdziwym zwierzęcym małżeństwie. Ten fakt stał się zgubą ptaków podczas eksterminacyjnej krucjaty. Jeśli jedno z dwojga zostało zastrzelone lub otrute, ptak pozostały przy życiu nie szukał często nowego partnera, lecz odtąd samotnie zataczał koła na niebie. Wielu singli nie wnosiło zatem swego wkładu w reprodukcję, co znacznie przyspieszyło unicestwienie gatunku.

Dzisiaj kruk zwyczajny objęty jest ścisłą ochroną i znowu może się wszędzie rozprzestrzeniać w swych naturalnych biotopach. Pamiętam jeszcze wczesne wyprawy do Szwecji z naszymi dziećmi. Płynąc kajakami przez samotne jeziora, słyszeliśmy często nawoływania kruków, a ja byłem oczarowany. Ależ byłem podekscytowany, gdy przed kilku laty po raz pierwszy usłyszałem te ptaki w moim rejonie w Hümmel!

---

* Zdarza im się jednak polować na przykład na zające czy drobne gryzonie.

Od tej pory są one dla mnie symbolem tego, że natura może się odrodzić po naszych grzechach i że niszczenie środowiska nie musi być drogą jednokierunkową.

Monogamiczne zwierzęta nie należą do rzadkości, zwłaszcza wśród ptaków jest kilka gatunków, które pod tym względem przypominają kruki, nawet jeśli nie są tak konsekwentne. Na przykład bocian biały przynajmniej w sezonie lęgowym nie zmienia partnera. Poza sezonem pozostaje natomiast wierny gniazdu i często dawni partnerzy tylko dlatego się odnajdują, że kolejnej wiosny oboje kierują się do starego gniazda. Czasem jednak coś może się nie powieść po drodze, jak donosiła pracownica ogrodu zoologicznego w Heidelbergu. Na wiosnę bocian zbudował gniazdo z nową partnerką – dawna najwyraźniej zawieruszyła się gdzieś podczas przelotu. Po czym nagle objawiła się spóźniona w samym środku czułej samotności we dwoje, a pan bocian aż się spocił. By sprostać wymaganiom obu bocianic, zbudował drugie gniazdo, a potem ledwie nadążał z zaopatrywaniem w pożywienie obu rodzin[33].

Dlaczego jednak wszystkie gatunki ptaków nie są takie wierne? I co właściwie oznacza wierność? Tylko z tego powodu, że sikorki i inne gatunki nie wiążą się ze sobą na całe życie, nie można wnioskować, że są niewiernymi towarzyszami. Powód łączenia się w pary zaledwie na jeden sezon jest uzasadniony przeciętną długością życia. Kruki zwyczajne na (pełnej niebezpieczeństw) swobodzie przeżywają ponad dwadzieścia lat, natomiast inne, przeważnie mniejsze, gatunki kończą często żywot, nie doczekawszy nawet piątych urodzin. Gdyby więc wiązały się ze sobą na całe życie przy bardzo wysokim prawdopodobieństwie utraty partnera, to wkrótce po okolicy fruwałyby niemal same single. A ponieważ byłoby to bardzo niedobre z punktu widzenia zachowania gatunku, kostki w grze „kto z kim" co roku rzucane są na nowo. Trzeba się wtedy po prostu rozejrzeć, kto przeżył zimę i ptasie wędrówki. Bogatki i rudziki zwyczajnie nie znają żałoby po zeszłorocznym partnerze, który nie wrócił.

A jak to wygląda u ssaków? Jedynie w nielicznych wypadkach istnieją małżeństwa przypominające związki kruków, jak na przykład u bobrów. Bobry wyszukują sobie partnera na całe życie i pozostają z nim razem nawet przez dwadzieścia lat. Ich dzieci też się nie wyprowadzają, lecz mieszkają wraz z rodzicami w przytulnych żeremiach nad wodą. Większość pozostałych gatunków jest jakby niezdolna do tworzenia związków, przynajmniej w odniesieniu do płci przeciwnej. Tak na przykład wśród zwierzyny płowej liczy się tylko prawo silniejszego. Gdy mocniejszy jeleń przepędzi swego przeciwnika, zażywa przyjemności z haremem łani tak długo, póki jego z kolei nie przegoni jeszcze silniejszy przedstawiciel gatunku. Łaniom zaś najwyraźniej wszystko jedno – pozwalają się kryć nawet wyrostkom, które wykorzystują swoją szansę, gdy dominujący jeleń akurat nie uważa. Wychowanie cieląt jest tak czy owak sprawą wyłącznie kobiecą, ponieważ w tym czasie ojcowie znowu przemierzają lasy w męskich chmarach.

IMIONA

Dla nas jest oczywistą rzeczą, że możemy się zwracać do siebie w celach komunikacji. W dużych wspólnotach do nawiązania bezpośredniego kontaktu służy imię własne, którym ktoś się do nas zwraca i w ten sposób kieruje na siebie naszą uwagę. Czy będzie to e-mail, WhatsApp, telefon czy bezpośrednia rozmowa – bez tego wezwania wprost nic się nie osiągnie. Jego wagę uświadamiamy sobie wówczas, gdy zdarzy nam się zapomnieć imienia rozmówcy, którego już kiedyś spotkaliśmy, a teraz znowu widzimy. Czy nadawanie imion jest typowo ludzkim nawykiem, czy też istnieje także w królestwie zwierząt? W końcu wszystkie gatunki społeczne stoją przed takim samym problemem.

Prosta forma nadawania imienia występuje u ssaków w związku między matką a dzieckiem. Matka wydaje dźwięk typowym dla siebie głosem, dziecko rozpoznaje go i odpowiada wysokim, własnym dźwiękiem. Ale czy to rzeczywiście są imiona, czy też raczej chodzi tu jedynie o rozpoznawanie głosu? Za tym ostatnim przemawia fakt, że zwłaszcza w relacji matka – dziecko „imię" zdaje się blaknąć w miarę upływu czasu. Gdy bowiem zwierzęce dzieci są dorosłe i odstawione od piersi, matka nie reaguje już na nie. Jakie więc znaczenie miałoby posiadanie wykrzykiwanego przez zwierzę imienia, na które nikt nie reaguje? Czy zawołanie o tymczasowym znaczeniu w ogóle zasługuje na to określenie?

Nawet jeśli nie uznamy takich dźwięków za imiona, to jednak w królestwie zwierząt istnieją prawdziwe imiona własne. Bo rzeczywiście nauka dokonała odkrycia w tym względzie i znowu nieprzypadkowo u kruków. Ich bliskie relacje wzajemne stanowią idealne warunki do szukania odpowiedzi na takie pytania, ponieważ ptaki te utrzymują dożywotnie związki nie tylko pomiędzy rodzicami a dziećmi, lecz również między przyjaciółmi. Jeśli zaś chcemy się porozumieć, a przede wszystkim zidentyfikować na duże odległości, to wołanie po imieniu najlepiej do tego się nadaje. Czarne ptaki opanowały ponad osiemdziesiąt różnych okrzyków, czyli kruczych słów. Zalicza się do nich również własny okrzyk rozpoznawczy, którym zapowiadają pobratymcom swoje przybycie. Czy to już jest prawdziwe imię? W znaczeniu ludzkiego obyczaju byłoby nim naprawdę tylko wówczas, gdyby inne kruki „zwracały się" do adresata jego okrzykiem rozpoznawczym – i kruki tak właśnie czynią[34]. Zapamiętują przy tym imiona pobratymców na długie lata, nawet jeśli kontakt się urywa. Gdy na niebie pojawia się znajomek i już z daleka woła swoje imię, istnieją dwie możliwości odpowiedzi – jeżeli powracający jest dawnym przyjacielem, będzie witany wysokim, przyjaznym głosem.

Jeżeli jednak kruk nie był lubiany, powitanie w niskim tonie brzmi ochryple – podobne obserwacje zostały zresztą dokonane wśród ludzi[35].

Imiona, które zwierzęta nadają sobie wzajem, są stosunkowo trudne do odkrycia. O wiele łatwiej wołać je ustalonym imieniem i patrzeć, czy reagują. W wypadku pojedynczych zwierząt domowych pojawia się tu zresztą kolejna przeszkoda – skąd mamy wiedzieć, czy na przykład nasza suka Maxi przychodzi, słysząc swe imię, a nie rozumie przez to pojęcie zwrotów w rodzaju „halo!" albo „no, chodź!"? Sytuacja byłaby prostsza przy kilku psach, ale w tym miejscu chciałbym raz jeszcze wrócić do inteligentnych świń. Te pokryte szczeciną zwierzęta zostały bowiem dokładnie zbadane przez uczonych pod kątem tej właśnie cechy. Katalizatorem badań były przepychanki, jakie panują w nowoczesnych chlewniach. Dawniej sypano karmę dla świń do długiego koryta, by wszystkie zwierzęta mogły się równocześnie posilać. Dzisiaj karmienie każdej świni sterowane jest automatycznie za pomocą komputerów, jednak odpowiednie urządzenia są bardzo drogie, więc pieniędzy nie starcza na zakup dostatecznej ilości sprzętu i równoczesne karmienie mieszkańców chlewni. Świnie muszą się ustawić w kolejce, a czując burczenie w brzuchu, stają się równie niecierpliwe jak my. Przepychają się, czasem nawet ranią. Chcąc przywrócić należyty porządek podczas karmienia, badacze z Instytutu im. Friedricha Loefflera, a dokładnie z grupy roboczej „Świnie", zabrali się za uczenie świń dobrych manier w gospodarstwie doświadczalnym w Mecklenhorst w Dolnej Saksonii. W małych „klasach szkolnych", liczących od ośmiu do dziesięciu roczniaków, ćwiczyli reagowanie na indywidualne imiona.

Podrostki szczególnie dobrze zapamiętywały trzysylabowe żeńskie imiona. Po tygodniowym treningu zwierzęta powróciły do większej grupy w chlewni, a sytuacja przy wydawaniu karmy zrobiła się emocjonująca – każde zwierzę wołano indywidualnie, gdy nadchodziła jego kolej. I rzeczywiście udało się! Gdy tylko z głośników rozlegało się przykładowo wołanie „Brunhilda!", podrywało się tylko wywołane zwierzę i pędziło do koryta, podczas gdy reszta zajmowała się swoimi sprawami, co w przypadku paru osobników oznaczało wyłącznie drzemkę. Częstość uderzeń serca zmierzona u pozostałych świń nie uległa podwyższeniu, szybszy puls wykazywało tylko wywołane zwierzę. Nowy system, który może zaprowadzić porządek i spokój w chlewniach, miał bądź co bądź dziewięćdziesięcioprocentową skuteczność[36].

Jednak czy to poruszające odkrycie rzeczywiście ma daleko idące znaczenie? Wiedza, że określone imię wiąże się z nami samymi, opiera się na założeniu, że mamy samoświadomość. A to kategoria o stopień wyższa od samej tylko świadomości. Ta ostatnia opisuje wyłącznie procesy myślowe, natomiast w wypadku samoświadomości chodzi o rozpoznanie własnej osobowości, własnego ja. Nauka, chcąc sprawdzić, czy zwierzęta posiadają taką zdolność, wymyśliła test lustra. Kto potrafi rozpoznać, że obraz w lustrze nie jest pobratymcem tego samego gatunku, lecz stanowi odbicie własnej postaci, ten powinien być w stanie dokonać refleksji nad sobą. Wynalazcą tej metody był psycholog Gordon Gallup, który uśpionym szympansom zrobił kolorową plamkę na czole. Następnie postawił lustro przed nieruchomymi zwierzętami i czekał, co się zdarzy, gdy się zbudzą. Ledwie małpy nieprzytomnym jeszcze wzrokiem spojrzały w lustro, od razu zaczęły ścierać sobie farbę. Wyraźnie natychmiast zrozumiały, że z połyskującego szkła spoglądają same na siebie. Od tej pory uważa się ten test za dowód istnienia samoświadomości u zwierząt, które go zdały. Zauważmy przy okazji, że małe dzieci zdają go dopiero w wieku mniej więcej osiemnastu miesięcy. Radzą z nim sobie małpy człekokształtne, delfiny i słonie, które zdecydowanie zyskały odtąd w opinii uczonych.

Zaskoczeniem było, gdy również krukowate, jak na przykład sroki i kruki zwyczajne, rozpoznały siebie w lustrzanym odbiciu. Zwierzęta te z racji ich inteligencji określa się dzisiaj również mianem „małp przestworzy"[37]. Po tym odkryciu niewiele się działo w tej kwestii przez długi czas, aż nagle w raportach pojawiły się świnie. Świnie? Tak, również i one z powodzeniem zdają test, niestety jak dotąd nie powstało określenie w rodzaju „małpy masowej hodowli zwierząt" – przecież wtedy nie dałoby się już tak bezlitośnie jak dzisiaj postępować z tymi zwierzętami. Tym inteligentnym zwierzętom odmawia się nawet prawa do odczuwania bólu, czego dowodzi fakt, że kilkudniowe prosięta wolno będzie jeszcze do 2019 roku kastrować bez znieczulenia[*] – tak jest szybciej i taniej.

---

[*] Prawo polskie wprost zakazuje kastrowania świń bez znieczulenia (obowiązujące rozporządzenie Ministra Rolnictwa i Rozwoju Wsi z dnia 15 lutego 2010 r. w sprawie wymagań i sposobu postępowania przy utrzymywaniu gatunków zwierząt gospodarskich, dla których normy ochrony zostały określone w przepisach Unii Europejskiej, § 23 ust. 1 pkt 6), jednakże w tej akurat kwestii, niestety, praktyka mocno odbiega od zapisów ustawowych i prosięta kastruje się bez znieczulenia do siódmego dnia życia. Ta rozbieżność motywowana jest stosowaniem się do stawiającej niższe wymagania w tym względzie normy unijnej (dyrektywa Rady 2008/120/WE).

Wróćmy jednak do lustra. Świnie bowiem potrafią je wykorzystywać nie tylko do oglądania własnego ciała. Donald M. Broom i jego zespół z Uniwersytetu Cambridge ukryli pożywienie za barierką. Następnie tak rozlokowali świnie, że mogły je widzieć tylko w ustawionym przed nimi lustrze. Siedem z ośmiu świń już po kilku sekundach zrozumiało, że muszą się odwrócić i przejść za barierkę, by dobrać się do smacznych kąsków. Musiały więc nie tylko rozpoznać siebie w lustrze, ale i przeprowadzić proces myślowy dotyczący związków przestrzennych pomiędzy otoczeniem a miejscem ich położenia[38].

Nie powinniśmy jednak przeceniać znaczenia testu lustra, zwłaszcza w odniesieniu do zwierząt, które go nie zdają. Jeżeli na przykład psy zostaną podobnie oznakowane jak szympansy, zobaczą swe odbicie w lustrze i nie zareagują, nie będzie to dowodzić tak naprawdę niczego. Skąd mamy wiedzieć, czy ten punkt na twarzy w ogóle im przeszkadza? A jeżeli tak, to może nie potrafią sobie poradzić z zasadą lustra i widzą w nim tylko kolorowy obraz albo w najlepszym wypadku film, jak w telewizorze.

Wracając jeszcze do nadawania imion – tu znowu pojawiają się kanadyjskie wiewiórki. A to dlatego, że podczas badań przypadków adopcji stwierdzono, iż nadrzewne skrzaty adoptują tylko spokrewnione z nimi maluchy. Ale skąd wiedzą, kto jest ich bratankiem, siostrzenicą czy wnuczkiem? Uczeni z Uniwersytetu McGill przypuszczają, że decydujące znaczenie mają w tej sprawie dźwięki wydawane przez dorosłe zwierzęta. Każda wiewiórka dysponuje charakterystycznymi okrzykami, po których ci samotnicy rozpoznają się wzajem. Widują się rzadko, bo ich terytoria raczej nie nachodzą na siebie, tak więc do dyspozycji mają jedynie akustykę. Tym bardziej musi dziwić fakt, że niektóre zwierzęta udają się na poszukiwania, gdy przestają słyszeć okrzyki krewniaków. W końcu muszą w tym celu opuścić swój rewir i ruszyć w obcy teren. Czyżby się martwiły? To jeszcze spekulacje, ale jeśli podczas takiego wypadu natrafiają na osierocone maluchy, biorą bezradne młode pod swoją opiekę[39].

Jak w wielu innych dziedzinach, tak i w wypadku tego zagadnienia nauka stoi dopiero na początku drogi. Nadawanie imion to bowiem zaawansowany poziom komunikacji, którą – jak już pokazaliśmy – opanowało wiele gatunków zwierząt. Nawet pozornie nieme ryby mają w tej dyscyplinie coś do powiedzenia, jednakże jak dotąd wiadomo tylko, że posługują się dźwiękami, by znaleźć partnera lub bronić swego rewiru.

ŻAŁOBA

Jelenie to towarzyskie zwierzęta. Tworzą duże stada i w gromadzie czują się wyjątkowo dobrze. Zachodzi przy tym jednak pewien podział płciowy. Samce po ukończeniu dwóch lat stają się niespokojne i ruszają w dal. Dołączają do innych osobników swojej płci, ale pozostają z nimi luźno związane. Na stare lata dziwaczeją i najchętniej przebywają same, najwyżej raz na jakiś czas tolerują w pobliżu obecność młodszego jelenia, którego myśliwi określają mianem „adiutanta".

Żeńska część zwierzyny płowej jest znacznie bardziej stabilna. Tu stado stanowi trwałą wspólnotę, której przywódczynią jest łania „licówka" o wyjątkowym doświadczeniu. Istnieją bowiem tradycje przekazywane przez poprzedniczki młodszym łaniom, jak na przykład wiedza o uczęszczanych od dziesiątków lat ścieżkach migracji. To szlaki wędrowne, którymi można dojść do łąk pełnych soczystej zieleni albo bezpiecznych stanowisk zimowych. W razie niebezpieczeństwa przerażone zwierzęta kierują się również zachowaniami przywódczyni. Ona najprędzej wie, co należy zrobić, bo potrafi sobie przypomnieć podobne sytuacje i możliwych napastników. I nie chodzi tu tylko o zwierzęcych drapieżców. Miałem na przykład wielokrotnie okazję obserwować, jak w momencie rozpoczęcia polowania z nagonką chmara jeleni opuszcza dany okręg łowiecki. Informacji dostarcza im rozbrzmiewający zgodnie z tradycją dźwięk rogu myśliwskiego, który na początku polowania, jeszcze na miejscu zbiórki, zagrzewa serca myśliwych. Odgrywane na rogu sygnały są dla licówki znakiem do wymarszu, co równocześnie dowodzi, że jelenie nawet po upływie roku mogą pamiętać następstwo poszczególnych tonów.

Łania prowadząca stado musi oprócz wieku i doświadczenia mieć również inne świadectwo swych kwalifikacji – potomstwo. Jest ono wymogiem bezwzględnym, znakiem tego, że zwierzę potrafi wziąć odpowiedzialność nie tylko za siebie, lecz także za innych. Niektórzy badacze dzikiej zwierzyny interpretują podążanie za nią reszty stada jako przypadek, bo skoro jelenie tylko w towarzystwie czują się dobrze, a starsza łania prowadzi cielę, to po prostu dołączają się do niej bez jakiegoś szczególnego zamiaru, ponieważ już dwa zwierzęta biegną w tym samym kierunku. Jestem jednak przekonany, że członkowie chmary świetnie wyczuwają, iż na czele kroczy łania o wyjątkowym doświadczeniu. Ona pierwsza podejmuje decyzje, z nią na przodzie wszystkim wiedzie się dobrze. Tu badacze oponują, że akurat starsze zwierzę jest szczególnie czujne i z tego powodu reaguje jako pierwsze, kiedy należy uciekać. Nic dziwnego, że na ten widok cała reszta z przezorności decyduje się ruszać w ślad za nim. Chodziłoby zatem jedynie o bierne przywództwo, a nie o faktyczne dowodzenie[40]. Nie wierzę w to. Wprawdzie łanie nie walczą o przywództwo w stadzie, lecz przekazują tę godność w sposób cichy i dla nas niezauważalny. Jeżeli jednak chodziłoby tu wyłącznie o jakąś odmianę losowego wyboru, to zwierzęta mogłyby się dołączać raz do tego, raz do tamtego osobnika. Nawet do wyjątkowo płochliwej łani, która jest wprawdzie młoda i niedoświadczona, ale za to szczególnie nerwowa i dlatego zawsze pędzi na czele. Lecz prawdziwe przywództwo odznacza się czymś zupełnie innym, a mianowicie zdolnością do zachowania zimnej krwi. Kto bowiem zbyt często wpada w tryb paniki, ten ma mniej czasu na jedzenie, a tym samym mniej energii, by przetrwać.

Nie, tu chodzi o doświadczenie, które przychodzi wraz z wiekiem i powoduje cichą zgodę na podążanie za starszym zwierzęciem. Czasami jednak licówce przytrafia się nieszczęście – jej cielę umiera. Dawniej powodem była przeważnie choroba lub atak głodnego wilka, dzisiaj to jednak często strzał ze sztucera myśliwego. U jeleni wówczas rozpoczyna się taki sam proces jak u ludzi. Najpierw panuje pełen niedowierzania chaos, potem zaczyna się żałoba. Żałoba? Czy jelenie mogą w ogóle coś takiego odczuwać? Nie tylko mogą, lecz nawet muszą – żałoba pomaga w pożegnaniu. Więź łani z cielęciem jest tak intensywna, że nie można jej zniszczyć w ułamku sekundy. Łania musi najpierw powoli zrozumieć, że jej dziecko nie żyje i że musi odejść od drobnych zwłok. Ale ciągle powraca na miejsce zdarzenia i woła swe cielę, nawet gdy dawno już zabrał je myśliwy.

Pogrążeni w żałobie przywódcy stanowią jednak zagrożenie dla stada, ponieważ pozostają w pobliżu martwego dziecka, a tym samym w pobliżu zagrożenia. Zasadniczo powinni przeprowadzić stado w bezpieczne miejsce, lecz uniemożliwia to niezakończona ostatecznie więź z potomstwem. Nie ma żadnych wątpliwości, w takich okolicznościach musi nastąpić zmiana przywództwa, i tak się dzieje bez walki o stanowisko. Do działania przechodzi z miejsca inna łania o podobnym doświadczeniu i przejmuje dowodzenie wspólnotą.

Jeżeli zachodzi przypadek odwrotny, to znaczy umiera łania, pozostawiając cielę, zostanie ono potraktowane wyjątkowo bezlitośnie. Adopcja nie wchodzi w grę, wręcz przeciwnie – osierocony młodzik często jest odpędzany przez stado, być może dlatego, że chce ono zakończyć żywot całej dynastii. Zdane samo na siebie cielę praktycznie nie ma żadnych szans i zwykle nie przeżywa nadchodzącej zimy.

WSTYD, ŻAL I SKRUCHA

Właściwie nigdy nie chciałem mieć koni. Są dla mnie zbyt duże i zbyt niebezpieczne, a jazda konna też mnie nie interesowała. Przynajmniej do dnia, w którym kupiliśmy dwa konie. Moja żona Miriam już od dawna marzyła o tym, by mieć takie zwierzęta, a w pobliżu naszej leśniczówki jest dostatecznie dużo pastwisk do wydzierżawienia. Gdy parę kilometrów dalej pewien właściciel chciał sprzedać swoje zwierzęta, nadszedł bodaj idealny moment. Zipy, klacz rasy quarter horse, miała dopiero sześć lat i była już układana do jazdy. Jej koleżanka Bridgi, czteroletnia klacz rasy appaloosa, uchodziła za nienadającą się do jazdy z powodu poświadczonych medycznie dolegliwości grzbietu. To się znakomicie składało – konie musiały być dwa, bo jako zwierzęta stadne nie mogą być trzymane pojedynczo. A to, że tylko jeden z nich nadawał się do jazdy, bardzo mi odpowiadało – można mnie było od razu wykluczyć, jeżeli chodzi o jeżdżenie konno.

Jednak potem wszystko potoczyło się inaczej. Nasz weterynarz zbadał konie i doszedł do wniosku, że Bridgi również nic nie brakuje. Cóż więc stało na przeszkodzie, by i ją zacząć układać do jazdy? Nic, a zatem razem z nią rozpocząłem naukę pod kierunkiem instruktorki jazdy konnej. Te jazdy, ale przede wszystkim codzienna troska o zwierzę, spowodowały, że powstała bardzo bliska więź między nami, a mój strach znikł całkowicie. Dowiedziałem się za to, jak bardzo wyczulone są konie i jak reagują już na najdrobniejsze sygnały. Jeżeli moja żona czy ja mieliśmy głowę zaprzątniętą czym innym albo byliśmy zdenerwowani, nie słuchały naszych komend bądź przepychały się brutalnie przy karmieniu. Tak samo zachowywały się podczas jazdy – już po napięciu mięśni zwierzęta się orientowały, czy należy traktować dany sygnał (na przykład lekkie przeniesienie ciężaru ciała w żądaną stronę) poważnie czy też nie. Z czasem my z kolei nauczyliśmy się bardzo dokładnie przypatrywać Zipy i Bridgi. A oprócz zasad postępowania z końmi odkryliśmy także szerokie spektrum ich uczuć.

Tak na przykład zwierzęta te mają dobrze wykształcone poczucie sprawiedliwości, które objawia się w najróżniejszych sytuacjach. Widać to zwłaszcza podczas karmienia i wtedy najłatwiej zrozumieć, o co im chodzi. Dwudziestotrzyletnia już dzisiaj Zipy nie przyswaja najlepiej trawy pastwiskowej i powoli wychudłaby na wiór, gdybyśmy temu nie zapobiegali. Dlatego codziennie w południe dostaje dużą porcję zbożowego koncentratu paszowego. Jeżeli o trzy lata młodsza Bridgi musi na to patrzeć, zaczyna się denerwować. Drobi nogami, kładzie uszy po sobie (dyskretny gest ostrzegawczy), krótko mówiąc, ma za złe. Dostaje więc garść koncentratu rozsypanego długą linią po trawie. Wybieranie ziaren z zielska zajmuje jej tyle samo czasu, co starszej koleżance zjedzenie większej ilości z karmidła. To wystarczy, żeby świat Bridgi wrócił do formy.

Podobne zjawisko można zaobserwować podczas treningu. Ruch na niewielkim padoku najwyraźniej cieszy zwierzęta, i to nie tylko z powodu samego ruchu – mają go w końcu pod dostatkiem, gdyż cały rok spędzają na dużym pastwisku. Nie, konie z ogromnym zadowoleniem przyjmują uwagę, jaką im poświęcamy przy ćwiczeniu rozmaitych czynności, pochwały i głaskanie, gdy coś się uda.

Bytowanie z końmi pozwoliło nam dostrzec u nich inne jeszcze uczucie – konie potrafią się wstydzić, i to w podobnych sytuacjach jak my. Stojąca niżej w hierarchii Bridgi zachowuje się czasem mimo swych dwudziestu lat jak podrostek, który ma jeszcze pstro w głowie. Nie przychodzi wtedy od razu na wołanie, lecz woli zrobić dodatkową rundę galopem wokół pastwiska albo próbuje zacząć jeść, nie czekając na komendę: „no, chodź!". Musimy ją wtedy przywołać do porządku, każąc jej przykładowo czekać na posiłek, póki nie zacznie się grzecznie zachowywać. Zwykle znosi reprymendę bez większych wzruszeń, jednak jeśli przygląda się temu starsza Zipy, odwraca zmieszana głowę i nagle zaczyna ziewać. Wyraźnie widać, jak jest zakłopotana lub jak, lepiej rzecz ujmując, Bridgi się wstydzi!

Jeżeli się zastanowicie nad podobnymi sytuacjami u ludzi, to zauważycie, że do uczucia wstydu potrzebna jest przeważnie kolejna osoba i dopiero w jej obecności dany stan rzeczy może stać się powodem zażenowania. Końmi najwyraźniej rządzą takie same zasady i uważam, że uczucie to występuje u wielu zwierząt społecznych. Utajone powody wstydu nie zostały jeszcze niestety zbadane u zwierząt, ale są przynajmniej znane u ludzi, a to daje nam wyobrażenie o tym, do czego w ogóle potrzebne jest wstydzenie się – delikwent naruszył reguły społeczne, czerwienieje i spuszcza wzrok, czyli krótko mówiąc, sygnalizuje podporządkowanie się. Pozostali członkowie grupy widzą te męczarnie i z reguły odczuwają współczucie, więc złoczyńca zapewne zyska przebaczenie. Koniec końców wstyd staje się przez to rodzajem samoukarania i mechanizmu przebaczenia w jednym. Zwierzętom często odmawia się jeszcze prawa do tego uczucia, bo aby się wstydzić, trzeba móc dokonać refleksji nad własnym działaniem i jego skutkami dla innych[41]. Nie orientuję się, niestety, w aktualnym stanie badań na ten temat, ale znamy pokrewne uczucia, co do których istnieją odpowiednie prace badawcze: żal i skrucha.

Ile razy w życiu każdy z nas żałuje podjęcia błędnej decyzji? Żal jest tym uczuciem, które z reguły chroni nas przed popełnieniem po raz drugi tego samego błędu. Jest to bardzo rozsądne, oszczędza wszak energię i zapobiega wielokrotnemu powtarzaniu niebezpiecznych i bezsensownych czynności. A jeśli to takie rozsądne, nasuwa się myśl, by poszukać podobnych uczuć również w królestwie zwierząt. Uczeni z Uniwersytetu Minnesoty w Minneapolis obserwowali w tym celu szczury. Zbudowali dla nich specjalną „Restaurant Row", czyli arenę z czterema wyjściami, na końcu których znajdowały się pomieszczenia z jedzeniem. Gdy zwierzę wchodziło do takiego pomieszczenia, rozlegał się dźwięk – tym wyższy, im dłuższy był przewidywany czas oczekiwania. I tu gryzonie zachowywały się podobnie jak my, ludzie. Niektórym wyczerpywała się cierpliwość i zmieniały pomieszczenie, w nadziei że w innym zostaną szybciej obsłużone. Czasem jednak dźwięk w tym drugim pomieszczeniu był jeszcze wyższy, a więc czas oczekiwania stawał się jeszcze dłuższy. Zwierzęta zaczynały wówczas tęsknie spoglądać w kierunku dopiero co porzuconych rejonów, równocześnie rosła w nich gotowość pozostania na miejscu i dłuższego oczekiwania na jedzenie. Podobne reakcje zachodzą u ludzi, na przykład wtedy, gdy zmieniamy kolejkę przed kasą w supermarkecie i stwierdzamy, że podjęliśmy błędną decyzję. U szczurów stwierdzono w mózgu także inne wzorce aktywności, które odpowiadają procesom zachodzącym w ludzkich umysłach, gdy raz jeszcze w duchu odtwarzamy całą sytuację. Istnieje bowiem różnica między żalem a rozczarowaniem – z tym ostatnim mamy do czynienia, gdy nie dostajemy tego, czego się spodziewaliśmy, natomiast żal pojawia się wtedy, gdy dodatkowo uświadamiamy sobie, że istniał lepszy wybór. I do tego właśnie są zdolne szczury, jak stwierdzili badacze Adam P. Steiner i David Redish[42].

Jeżeli już szczury wykazują takie uczucia, to czy nie byłaby uprawniona sugestia, by podobnych stanów tym usilniej szukać u psów? W końcu niemal wszystkie pańcie i pańciowie potwierdzą, że psy żałują błędnych posunięć i okazują żal, przybierając typową, wołającą o litość minę „zbitego psa", gdy się je karci. Nasza münsterländerka Maxi również świetnie rozumiała, gdy coś źle zrobiła, a ja ją ganiłem. Zakłopotana spoglądała wtedy na mnie do góry spod oka, jakby jej było strasznie przykro i prosiła mnie o wybaczenie. I właśnie to zachowanie wzięli pod lupę uczeni. Bonnie Beaver z Uniwersytetu Rolniczo-Mechanicznego w College Station w Teksasie doszła do wniosku, że typowa mina „zbitego psa" jest wyuczona, ponieważ psy się uczą, czego ich pani lub pan oczekuje, kiedy na nie krzyczy. Reagują więc na naganę, a nie powodowane nieczystym sumieniem. Również Alexandra Horowitz z New Yorker Barnard College doszła do podobnej konkluzji. W tym celu poprosiła czternastu właścicieli psów, by zostawili swe zwierzęta z miską pełną przysmaków w jakimś pomieszczeniu i surowo napomnieli, by niczego nie ruszały. Rezultat – mimo że część psów dostosowała się do polecenia, to prawie wszystkie przybrały skruszoną minę, gdy tylko usłyszały słowa nagany[43]. A jednak nie musi to znaczyć, że psy udają tylko, że przepraszają. Jeżeli nagana następuje bezpośrednio po przestępstwie, czworonogi wiążą reakcję z własnym działaniem, a ich spojrzenie może wtedy rzeczywiście wyrażać skruchę, którą im przypisujemy.

Wróćmy raz jeszcze do poczucia sprawiedliwości, bo w królestwie zwierząt istnieje ono nie tylko u koni. Kto żyje we wspólnocie, ten musi postępować fair. Każdy członek społeczności powinien móc w równej mierze dochodzić swoich praw – tak brzmi definicja sprawiedliwości według słownika Dudena. Inaczej prędko wybuchłby gniew i jeśli nadal byłby prowokowany, doszłoby do użycia przemocy. W ludzkiej wspólnocie równe szanse wszystkich – jak się uważa – chroni prawo. Jednak w codziennym obcowaniu o wiele silniej od porządku prawnego działają uczucia, które w wypadku niewłaściwego zachowania wyzwalają na przykład wstyd, a w wypadku poprawnych działań – szczęście. Jak inaczej zasada *fair play* miałaby działać we własnych czterech ścianach, we własnej rodzinie?

Opowiadałem już, że nasze konie potrafią się wstydzić, czyli że mają poczucie sprawiedliwości. Nie jest to jeszcze oczywiście poprawna i uzasadniona naukowo obserwacja, ale istnieją takowe w przypadku psów. Zespół Friederike Range z Uniwersytetu Wiedeńskiego posadził koło siebie dwa psy, które się znały. Zwierzęta miały wykonać proste polecenie – „daj łapę!". Potem otrzymywały nagrodę, która jednak mogła bardzo różnie wyglądać. Raz był to kawałek kiełbasy, raz tylko kawałek chleba, a czasem w ogóle nic. Póki jednak obu psów dotyczyły te same reguły, wszystko było w porządku, a zwierzaki grzecznie współpracowały. W dalszym przebiegu doświadczenia postanowiono wzbudzić w nich zazdrość, zaczęły więc być wynagradzane bardzo niesprawiedliwie. Gdy oba psy podawały łapę, nagrodę dostawał tylko jeden z nich, drugi zaś odchodził z kwitkiem. W zaostrzonym wariancie jeden był każdorazowo wynagradzany kiełbasą, a drugi zawsze musiał się obejść smakiem, mimo że równie grzecznie podawał łapkę. Pokrzywdzony podejrzliwie obserwował niesprawiedliwe wręczanie przysmaku sąsiadowi. Nieważne, czy dostawał on lepsze kąski po wykonanym poleceniu czy zgoła bez niego, w którymś momencie poszkodowany czworonóg miał dosyć i odmawiał dalszej współpracy. Jeżeli jednak pies był sam i nie mógł się porównywać z towarzyszami, akceptował również wariant „bez nagrody" i współpracował dalej. Jak dotąd podobne uczucia zazdrości i (nie)sprawiedliwości obserwowano jedynie u małp[44].

Również kruki zwyczajne mają silne poczucie prawa i bezprawia. Można to było stwierdzić podczas doświadczeń, w których zasadniczo chodziło o współpracę i korzystanie z narzędzi. W tym celu umieszczono za kratą deseczkę z dwoma kawałkami sera. Przewleczono przez nią linkę, której końce przeciągnięto przez kratę do kruków. Tylko wtedy, gdy oba ptaki równocześnie i zgodnie ciągnęły za oba końce, mogły przyciągnąć przysmak do siebie. Inteligentne zwierzęta w lot to zrozumiały, a podjęta próba szczególnie dobrze się udawała w wypadku lubiących się partnerów. U innych par zdarzało się jednak, że po udanym przyciągnięciu sera w zasięg dzioba jeden z kruków porywał oba kawałki. Ten zaś, który zostawał z niczym, konotował to sobie w pamięci i odtąd nie podejmował współpracy z chciwym kolegą. Egoiści bowiem wśród ptaków też nie są lubiani[45].

WSPÓŁCZUCIE

Najczęściej spotykane w lesie ssaki należą równocześnie do najmniejszych przedstawicieli tej klasy kręgowców – chodzi o myszarki zaroślowe*. Są wprawdzie urocze, ale już z racji rozmiarów trudne do zauważenia i dlatego dla wielu wędrowców raczej niezbyt interesujące. Dopiero gdy musiałem czekać w lesie na spotkanie z pewnym interesantem w sprawie naszego lasu cmentarnego i przez dłuższy czas stałem nieruchomo w jednym miejscu, dostrzegłem, jak wiele tych małych zwierzątek krząta się w podszycie. Myszarki są wszystkożerne i latem mieszkają pod starymi bukami w krainie mlekiem i miodem płynącej. Mnóstwo jest tam młodych pąków, owadów i innej drobnicy, tak że gryzonie mogą spokojnie wychowywać potomstwo. Ale potem nadciąga zima. By przynajmniej zanadto nie marznąć, zakładają one

---

* Przed zmianami w polskim nazewnictwie zwana myszą zaroślową.

domostwa u stóp potężnych drzew, przeważnie tam, gdzie wyrastają liczne korzenie. W tych miejscach tworzą się naturalne jamy, które trzeba tylko trochę poszerzyć. I tam przeważnie żyje po kilka zwierząt, jako że myszarki to towarzyskie stworzonka.

Gdy spadnie śnieg, mogę jednak czasem odkryć ślady dramatu. Do buka wiedzie wtedy ślad drobnych łapek – tędy szła kuna. A kuny lubią myszki na śniadanie. Trop prowadzi do jamy między korzeniami i wyraźnie widać, że ktoś tam intensywnie grzebał i drapał. Bezlitośnie wykopał nie tylko ukryte zapasy myszarek, ale czasem także któregoś z lokatorów. Jak może to oddziaływać na pozostałe zwierzątka? Czy po prostu boją się kuny, czy też rejestrują również, że ucierpiała jedna ze współtowarzyszek? Wyraźnie to drugie, jak stwierdzili badacze z Uniwersytetu McGill w Montrealu. Rzeczywiście odkryli oznaki sugerujące współczucie u tych małych ssaków, pierwszych nienaczelnych, u których ustalono istnienie takich uczuć. Same doświadczenia nie świadczyły zresztą o przejawianiu choćby odrobiny współczucia. Naukowcy boleśnie kaleczyli myszarki, wstrzykując im kwas w łapki. Inny wariant zadawania bólu polegał na tym, że przyciskano wrażliwe części mysiego ciała do rozgrzanych płyt. Jeżeli zwierzęta widziały uprzednio swych towarzyszy, którzy przechodzili podobne tortury, odczuwały ból o wiele silniej niż te, które dręczono bez uprzedzenia. I odwrotnie – obecność innej myszarki, której się lepiej powiodło, pomagała łatwiej znieść ból. Liczył się przy tym fakt, jak długo myszarki już się znały. Wyraźne efekty współczucia pojawiały się wtedy, gdy zwierzęta były ze sobą dłużej niż czternaście dni –

typowa sytuacja dla żyjących na swobodzie myszarek w naszych lasach.

Jednak jak myszy porozumiewają się ze sobą, skąd wiedzą, że pobratymiec akurat cierpi i przechodzi właśnie całym sobą istne piekło? Chcąc się o tym przekonać, badacze blokowali po kolei wszystkie możliwości postrzegania: oczy, uszy, zmysł węchu i smaku. A chociaż myszy chętnie porozumiewają się za pomocą zapachów, a w razie alarmu wydają przeraźliwe ultradźwięki, wygląda na to, że w wypadku współczucia chodzi, co zaskakujące, o widok cierpiącego towarzysza, który wyzwala w nich uczucia empatii[46]. Jeżeli zatem zimą kuna wyławia myszarkę z przytulnej jamki w korzeniach drzewa, pozostałe zwierzęta zapewne również przeżywają straszliwe sekundy. Nie wiemy jeszcze, jak długo utrzymuje się to współczucie i czy na przykład panowało ono jeszcze wraz ze stosownym wzburzeniem wśród malutkich mieszkańców jamki w chwili, w której odkryłem ślady na śniegu.

Jak jednak kształtuje się współczucie wobec pobratymców, którzy dopiero dołączyli do grupy, czyli nie są jeszcze z nią zintegrowani? Najwyraźniej wypada ono zdecydowanie słabiej, w czym myszy, zdumiewającym trafem, nie różnią się od ludzi, co również wykazali badacze z Uniwersytetu McGill w Montrealu. Przeprowadzili badania porównawcze zachowań empatycznych zarówno wśród studentów, jak i wśród myszarek i doszli do wniosku, że współczucie wobec członków rodziny i przyjaciół jest wyraźnie silniejsze niż wobec obcych. U wszystkich badanych istot powodem jest stres – zestresowane osobniki z większą obojętnością przyjmują cierpienia przedstawicieli swego gatunku. Przyczyną stresu są często sami obcy, których widok uwalnia hormon zwany kortyzolem. Kontrolę doświadczenia przeprowadzono, podając lek, który u studentów i myszarek blokował kortyzol i w ten sposób ponownie wzmacniał współczucie[47].

Gdy mowa o empatii, znowu pojawiają się nasze świnie domowe. Zajęli się nimi holenderscy naukowcy z Uniwersytetu w Wageningen, pod których opieką znajdowały się chlewnie doświadczalne w Centrum Innowacji Hodowli Świń w Sterksel. Tam zwierzęta słuchały muzyki klasycznej. Nie, spokojnie, badacze nie próbowali ustalić, czy świnie lubią Bacha. Raczej starali się połączyć muzykę z drobnymi gratyfikacjami, jak na przykład rozsypywanymi na podściółce rodzynkami w czekoladzie. Z czasem świnie z grupy doświadczalnej kojarzyły muzykę z określonymi emocjami. W tym momencie napięcie wzrastało, gdyż do gry wchodzili pobratymcy, którzy jeszcze nigdy nie słyszeli takich dźwięków i dlatego nie rozumieli ich znaczenia. A jednak przeżywali wszystkie te uczucia, których zaznawały umuzykalnione świnie – gdy one się cieszyły, nowi przybysze również wesoło bawili się i skakali, gdy zaś one oddawały mocz ze strachu, oni także zarażali się strachem i zachowywali tak samo. Świnie najwyraźniej mogą być empatyczne, potrafią rozumieć uczucia innych, a także im się poddawać[48] – a to jest klasyczna definicja współczucia.

A jak kwestie emocjonalne wyglądają między różnymi gatunkami? Nie ulega wątpliwości, że my, ludzie, potrafimy współczuć innym stworzeniom – inaczej czemuż miałyby nas tak przerażać zdjęcia odartych z piór, krwawiących kur w ciemnych fermach drobiu lub małpy z obnażonym mózgiem w aparaturach badawczych? Szczególnie poruszający przykład tego, że zwierzęta są również zdolne do współczucia przekraczającego granice gatunków, pochodzi z budapeszteńskiego zoo. Jeden ze zwiedzających, Aleksander Medveš, filmował niedźwiedzia brunatnego na wybiegu, gdy do rowu z wodą wpadła wrona. Bezsilnie miotała się w wodzie i bliska była utonięcia, gdy z pomocą ruszył niedźwiedź. Ostrożnie chwycił ją pyskiem za skrzydło i wyciągnął na ląd. Ptak leżał jak sparaliżowany, póki się po chwili nie pozbierał. Niedźwiedź nie zwracał już uwagi na świeży mięsny kąsek, który przecież całkowicie mieścił się w kategorii jego potencjalnych ofiar, lecz zajął się z powrotem posiłkiem z warzyw. Przypadek? Dlaczego niedźwiedź miałby robić coś takiego, skoro najwyraźniej nie zadziałał u niego instynkt głodu lub zabawy?

Pytając o zdolność danego gatunku do odczuwania współczucia, warto być może – oprócz bezpośredniej obserwacji – zajrzeć w głąb mózgu. Bada się wówczas, czy obecne w nim są neurony lustrzane. Te komórki specjalnego typu zostały odkryte w 1992 roku i wykazują pewną osobliwość – normalne komórki nerwowe wysyłają impulsy elektryczne wtedy, gdy własne ciało wykonuje określone czynności. Neurony lustrzane aktywują się natomiast wtedy, gdy nasz towarzysz przeprowadza odpowiednie działania, reagują zatem tak, jakby chodziło o własne ciało. Klasycznym przykładem jest tu ziewanie – gdy nasz partner w tym celu otwiera usta, u nas pojawia się także identyczna potrzeba. Naturalnie o wiele ładniejszym przykładem jest zarażanie się od kogoś uśmiechem. Jednak wyraźniej zobaczymy to zjawisko na drastyczniejszych przypadkach – jeżeli członek rodziny zatnie się w palec, wówczas my także cierpimy, jakbyśmy się sami zranili, ponieważ w naszych mózgach aktywują się podobne komórki nerwowe. Ale działają one tylko wtedy, gdy od wczesnego dzieciństwa byliśmy odpowiednio ćwiczeni. Tylko ten, kto ma kochających rodziców lub innych opiekunów, może ćwiczyć odzwierciedlanie uczuć i wzmacniać te komórki nerwowe. Kto jednak nie zaznał takiej młodości, u tego zdolność do współczucia marnieje[49].

Neurony lustrzane są zatem osprzętem współczucia, cóż więc szkodziłoby sprawdzić, które gatunki posiadają komórki tego typu? Do tego punktu dotarła właśnie współczesna nauka – wie tylko tyle, że mają je małpy. Zbadać trzeba dopiero, jakie inne gatunki przypominają nas w tej mierze. Bądź co bądź publicznie się już przypuszcza, że mogą tu czekać na nas liczne niespodzianki. Naukowcy zakładają, że wszystkie zwierzęta żyjące w stadach lub rojach posiadają podobne mechanizmy w mózgu. A to dlatego, że związki społeczne działają tylko wtedy, gdy można wczuć się we współtowarzyszy i odczuwać wraz z nimi. Już widzę, jak mruga do nas oczkiem złota rybka z rozdziału *Tlący się płomyk* – jako zwierzę stadne również się tu zalicza.

ALTRUIZM

Czy zwierzęta mogą postępować bezinteresownie? Bezinteresowność to przeciwieństwo egoizmu, cechy, która z punktu widzenia ewolucji (przetrwają tylko najsilniejsi / najlepsi) nie jest czymś zasadniczo negatywnym. Jeżeli jednak żyjemy we wspólnocie, pewna doza bezinteresowności jest warunkiem jej funkcjonowania. Przynajmniej wtedy, gdy tak definiujemy tę cechę, że nie musi być ona koniecznie powiązana z wolną wolą. Bezinteresownie postępuje wtedy wiele gatunków zwierząt, nawet bakterie to potrafią. Przykładowo osobniki odporne na antybiotyki wydzielają indol, substancję służącą jako sygnał alarmowy. W odpowiedzi wszystkie bakterie w otoczeniu podejmują działania ochronne. Nawet te, które nie uzyskały odporności wskutek mutacji, mogą wówczas przetrwać[50]. Czytelny przypadek bezinteresowności, ale czy w grę wchodzi tu wolna wola, można powątpiewać – przynajmniej zgodnie z aktualnym stanem wiedzy naukowej.

Dla mnie altruizm dopiero wtedy jest cenny, gdy jest efektem prawdziwego wyboru, gdy trzeba świadomie i aktywnie z czegoś zrezygnować, by komuś pomóc. Nie da się ostatecznie rozstrzygnąć, kiedy taki przypadek zachodzi u zwierząt, jednak możemy przybliżyć się do rozwiązania problemu, biorąc do analizy inteligentniejsze stworzenia. Do tej kategorii należą ptaki, a u nich nieustannie możecie obserwować altruizm. Gdy zbliża się wróg, to przykładowo pierwsza sikorka bogatka, która zauważyła niebezpieczeństwo, wydaje okrzyk ostrzegawczy. Wszystkie pozostałe sikorki mogą teraz czmychnąć i szukać bezpiecznego schronienia. Ostrzegająca naraża się jednak na szczególne niebezpieczeństwo, bo ściąga na siebie uwagę napastnika. Naturalnie i ona może próbować się ukryć, ale szansa, że to ona, nie zaś inna sikorka, zostanie schwytana, jest w tym wypadku wyjątkowo wysoka. Dlaczego więc naraża się na takie ryzyko? Z ewolucyjnego punktu widzenia nie ma to najmniejszego sensu, bo dla gatunku jako takiego jest całkowicie nieistotne, czy zostanie pożarty ten czy inny ptak. Jednakże altruizm w długiej perspektywie oznacza nie tylko dawanie, lecz i branie, a to może oznaczać korzyści dla współczujących i wspaniałomyślnych osobników. Zaobserwowali to Gerald G. Carter i Gerald S. Wilkinson z Uniwersytetu Maryland w College Park na ni mniej, ni więcej tylko wampirach. Te południowoamerykańskie nietoperze kąsają nocą bydło i inne ssaki, a potem zlizują wypływającą krew. By się nasycić, muszą jednak mieć szczęście i doświadczenie, zarówno jeśli chodzi o znalezienie bydła, jak i pozostanie niezauważonym przez ofiarę. Pechowe albo niedoświadczone nietoperze często pozostają głodne, jednak tylko tak długo, póki najedzeni koledzy nie powrócą do jaskini. Tam zwracają część krwawego posiłku dla obdarzonych mniejszym szczęściem współmieszkańców, by wszyscy coś z tego mieli. I to rzeczywiście wszyscy. Bo zdumiewającym trafem dokarmiani są nie tylko bliscy członkowie rodziny, ale i zwierzęta, które z ofiarodawcą nie są nawet odlegle spokrewnione.

Tylko właściwie dlaczego? W rozumieniu ewolucji przetrwać powinien najsilniejszy, a kto się dzieli, ten sam siebie osłabia. Zdobywanie pożywienia wymaga w końcu energii, kto zaś zaopatruje innych, ten więcej jej zużywa i tym samym odpowiednio częściej naraża się na niebezpieczeństwo. Ponadto poszczególni członkowie wspólnoty mogliby wykorzystywać takie niesamolubne nietoperze i trwale żądać od nich takich przysług. Tak się jednak nie dzieje, jak odkryli obaj południowoamerykańscy badacze. Nietoperze rozpoznają się bowiem wzajem i dokładnie wiedzą, kto ze znajomych jest szczodry, a kto nie. Ci, którzy wykazują altruistyczne podejście, będą przez nich w pierwszym rzędzie dokarmiani, gdy sami znajdą się w trudnej sytuacji[51]. Czy altruizm jest zatem egoistyczny? W ewolucyjnym sensie zapewne tak, gdyż osobniki wykazujące tę cechę mają w dłuższej perspektywie wyższe prawdopodobieństwo przetrwania. Ale ta obserwacja uczy czegoś jeszcze – nietoperze najwyraźniej mają wybór, wolną wolę co do tego, czy dzielić się z innymi czy nie. Gdyby tak nie było, zbędna byłaby skomplikowana sieć społeczna zakładająca wzajemne rozpoznawanie się, przypisywanie odnośnych cech danym osobnikom i działania będące tego skutkiem. Altruizm mógłby być przecież zwyczajnie ustalony genetycznie jako rodzaj odruchu, wobec czego zwierzęta nie wykazywałyby żadnych różnic charakteru. Jednak bezinteresowność dopiero wtedy staje się cenna, gdy świadczy się ją dobrowolnie, a nietoperze – jak widać – mają wolność wyboru.

WYCHOWANIE

Zwierzęce dzieci również potrzebują wychowania, by opanować reguły gry w świecie dorosłych. Jak bardzo to jest niezbędne, mogliśmy się przekonać, kupując nasze małe stadko kóz. Zakład mleczarski w sąsiedniej wsi zasadniczo sprzedawał wyłącznie koźlęta, w końcu potrzebował mleka matek do produkcji sera. Stąd też przed młodymi rysowała się następująca alternatywa – albo skończyć jako mięso na ladzie sklepowej, albo trafić pod opiekę hodowcy amatora. Nasze początkowe stadko, liczące naówczas cztery sztuki, miało szczęście i przyjechało jako mała grupka na nasze pastwisko. Ledwie wprowadziliśmy kózki na teren otoczony płotem, a już jeden z maluchów przeskoczył przez niego w panice i zniknął w oddalonym o jakieś osiemset metrów lesie. Byliśmy przekonani, że już nigdy się nie zobaczymy – skąd w końcu koźlę miałoby wiedzieć, gdzie jest jego nowy dom? W normalnych warunkach miałoby matkę przy boku, która uspokajająco by zameczała i ukoiła maleństwo. Nasz maluch jednak nie miał w nikim oparcia. W nikim? A co z trójką pozostałych koźląt? Tworzyły wprawdzie stado, ale wyraźnie nie były w stanie nawet w niewielkim stopniu zapewnić poczucia bezpieczeństwa.

A kłopoty rosły. Bärli (brązowy uciekinier) wróciła wprawdzie do nas, lecz za to banda urwisów ciągle lądowała za płotem i wyciskała z nas siódme poty, kiedy trzeba było zapędzać zwierzaki z powrotem do zagrody. Liczyliśmy już tylko na to, że ich zachowanie poprawi się po pierwszych porodach. I rzeczywiście – gdy tylko kozy urodziły swe pierwsze koźlątka, stały się spokojniejsze i grzecznie przebywały na przydzielonej im części pastwiska. Ich córki i synowie w ogóle nie mieli tendencji wichrzycielskich, bo mamy ich nauczyły, jak grzeczna koza zachowuje się na pastwisku. A kto zaczynał zanadto rozrabiać, ten był najpierw przywoływany do porządku meczeniem, jeśli to nie pomogło, dostawał rogami potężną sójkę w bok. Z tego drugiego pokolenia nikt nie przeskakiwał płotu, a „superuciekinierka" Bärli wyrosła na naszą najgrzeczniejszą i najmilszą kozę, majestatyczną i spokojną. Naturalnie swoją rolę odegrał także proces starzenia się – Bärli zrobiła się cięższa, a przez to nieco bardziej flegmatyczna, ale nabrała też równowagi ducha. Asertywność zyskała niewątpliwie również dzięki swym koźlętom, awansowała też na szefową stada, co z pewnością dodatkowo wniosło spokój w jej życie.

Czy nie brzmi to wszystko całkiem normalnie i naturalnie? Też tak uważam. Jeżeli jednak zakładamy, że zwierzęta działają kierowane instynktem i genetycznie zapisanym programem, wtedy wszystko wygląda inaczej. Uczenie się czegokolwiek jest zbędne, bo przecież w razie czego aktywuje się zachowanie odpowiednie dla każdej sytuacji. Ale tak właśnie nie jest, co mogą potwierdzić miliony właścicieli psów. Naszym psom na przykład nie wolno było wchodzić do kuchni i szybko się tego nauczyły, słysząc wypowiadane określonym tonem „nie!". Od tej pory przez całe życie stosowały się do tej zasady (która przecież w naturze nie ma żadnego sensu).

Zajrzyjmy jednak jeszcze raz do lasu i szkoły dzikich zwierząt. Zacznijmy od najmniejszych – od owadów. Jeżeli nie dorastają w pszczelim roju albo wśród krewniaków, mrówek czy os, to jako podrostki są zdane na siebie. Nie ma nikogo, kto by ostrzegł przed niebezpieczeństwami dnia codziennego, wszystkiego trzeba się samodzielnie nauczyć. Nic dziwnego, że w tej sytuacji ptaki albo inni wrogowie pożerają większość owadzich dzieci i być może ta właśnie sieroca nauka jest głównym powodem tego, że insekty mają tak wiele potomstwa. Wprawdzie myszy również mnożą się błyskawicznie, jednak są to wielkości o kilka rzędów mniejsze niż w wypadku małych lotników. Norniki zwyczajne co cztery tygodnie rodzą młode, które z kolei są zdolne po dwóch tygodniach do rodzenia dzieci. Jednak te drobne gryzonie nie wypuszczają ich tak po prostu w świat, lecz uczą je, jak mają się poruszać w otoczeniu i zdobywać pożywienie. Jak szczególna to może być wiedza, badano na przykładzie myszy domowej, pospolicie u nas występującej. Jednakże badania przeprowadzono bardzo daleko od jej ojczyzny, na wyspie Gough na pustkowiach południowego Atlantyku, tysiące kilometrów od najbliższego lądu stałego.

Tu, w całkowitym odosobnieniu, odbywały lęgi ptaki morskie, takie jak olbrzymie albatrosy. A przynajmniej czyniły to tak długo, póki pewnego dnia żeglarze nie odkryli wyspy i nieopatrznie nie wypuścili na nią myszy domowych, podróżujących z nimi jako pasażerowie na gapę. Myszy zaś robiły to, czym również zajmują się u nas. Kopały norki, zjadały korzenie i nasiona traw oraz imponująco się mnożyły. Ale pewnego dnia jedną z nich nagle wzięła chętka na kawałek mięsa. Musiała jakoś odkryć, jak zabić pisklę albatrosa, co pominąwszy już okrucieństwo czynu, nie jest prostym zadaniem, gdyż pisklęta są mniej więcej dwieście razy większe niż agresorzy. Myszy prędko się nauczyły, że kilka z nich musi tak długo gryźć pisklę, póki to się nie wykrwawi. Najbrutalniejsze spośród nich zaczęły nawet pożerać żywe jeszcze kulki puchu.

Wróćmy jednak do szkoły dla zwierząt – uczeni zauważyli, że przez całe lata myszy polowały na lęgnące się ptaki tylko w konkretnych rejonach wyspy. Najwyraźniej mysi rodzice pokazali swym latoroślom odpowiednią strategię i w ten sposób przekazali ją kolejnemu pokoleniu, natomiast ich pobratymcy w innych rejonach nie znali tej techniki. Przekazywanie technik łowieckich z pokolenia na pokolenie odbywa się u wielu większych ssaków, na przykład u wilków. Nie tylko to zresztą jest przedmiotem nauki – młode dzików i jeleni uczą się na przykład, jakimi szlakami przemieszczają się już od dziesiątków lat rodzinne klany, gdy zmieniają rewiry z letnich na zimowe. Dlatego też ścieżki te są mocno wydeptane od długiego użytkowania i twarde jak beton. Ten, kto może się uczyć od starszych pokoleń, odsuwa od siebie widmo wczesnej śmierci, choć niestety nie wiem, czy szkoła zwierząt sprawia uczniom większą frajdę niż nasza.

JAK POZBYĆ SIĘ DZIECI?

Jak większość rodziców zdawaliśmy sobie sprawę, że przyjdzie dzień, kiedy nasze dzieci staną na własnych nogach. Od małego wychowywaliśmy je ku samodzielności, resztę załatwiła natura względnie hormony. Mimo że okres dojrzewania wtargnął do naszego domu w bardzo łagodnej formie, to jednak na tym etapie częściej dochodziło do spięć, podczas których wszyscy zainteresowani zaczynali żywić pragnienie, by wreszcie każdy poszedł w swoją stronę. Ostatecznie problem rozwiązał system edukacji, bo po maturze nastąpiły studia. Nikt ich naturalnie nie prowadzi w pobliżu samotnej leśniczówki, tak więc niezbędna stała się przeprowadzka do położonego pięćdziesiąt kilometrów dalej Bonn. Nawiasem mówiąc, relacja między rodzicami a dziećmi poprawiła się błyskawicznie, ponieważ nie graliśmy sobie co dzień regularnie na nerwach.

A jak załatwiają to zwierzęta? Przynajmniej u ssaków i ptaków istnieje równie silna więź międzypokoleniowa, ale i ona w pewnym momencie musi ulec rozluźnieniu. A to dlatego, że przed większością gatunków rysuje się kolejny problem – wiele z nich nie ma rodzin w ludzkim rozumieniu tego słowa, lecz dorastające dzieci muszą najpóźniej po roku ustąpić miejsca następnym maluchom. Jak zatem odepchnąć własne dzieci?

Jedną z opcji byłby zły smak. I to w dosłownym znaczeniu tego słowa. Sami to obserwujemy u naszych kóz mlecznych. Jeżeli wskutek jakiegoś nieszczęścia wiosną umierają koźlęta którejś kozy, musimy sami zabierać się do roboty i ją doić. W przeciwnym wypadku nabrzmiałe wymię mogłoby ulec zapaleniu i przysporzyć samicy cierpienia. Zupełnie przy okazji zyskujemy także pyszne mleko, które dodajemy do muesli albo przerabiamy na ser. Pyszne mleko? No tak, w pierwszych tygodniach faktycznie tak jest. Ma kremowośmietankowy smak i jest niemal nie do odróżnienia od dobrego mleka krowiego. Jednak im bliżej lata, tym więcej w mleku gorzkich nut. W którymś momencie nikt już nie chce tego pić, tak że przedłużamy odstępy między dojeniami, powodując powolne wyschnięcie mlecznego strumienia. Nie ma znaczenia, czy mleko piją koźlęta czy też my. Jego smak czyni wymię nieatrakcyjnym, a latorośle przestawiają się coraz bardziej na trawę i zioła. Odciąża to kozę matkę i uniezależnia od niej koźlęta, jeśli idzie o żywienie. Zresztą dopuszcza ona już wtedy podrostki do sutka ledwie na parę sekund, po czym zirytowana unosi nogę, odpychając koźli łebek. Dokładnie z nastaniem jesieni, a tym samym okresu godowego, ma znowu do dyspozycji wszystkie rezerwy fizyczne dla siebie i przyszłego potomstwa.

Pszczoły nie chcą wprawdzie pozbywać się dzieci, ale za to pod koniec lata pozbywają się swych samców. Trutnie, łagodne wielkookie stworzenia bez żądła, obijają się przez całą wiosnę i lato po ulu. Nie szukają kwiatów, nie pomagają w suszeniu nektaru i przerabianiu go na miód, nie karmią potomstwa i się nim nie zajmują. Nie, rozkoszują się słodkim życiem, pozwalają się karmić robotnicom i od czasu do czasu wylatują w teren, by się rozejrzeć, czy aby nie pojawiła się gdzieś chętna do kopulacji królowa. Gdy ją ujrzą, natychmiast lecą za nią, lecz niewielu szczęśliwcom udaje się zjednoczyć się z nią w locie. Przegrana reszta wraca, bucząc, do swego roju i pozwala się pocieszyć słodkim posiłkiem. Można by tak żyć wiecznie, ale im bliżej jesieni, tym bardziej robotnice tracą cierpliwość do leniwej bandy. Młoda królowa już dawno jest zapłodniona, a jej siostry, które opuściły ul ze swoimi rojami, też już zostały obsłużone. Powoli zbliża się zima, cenne zapasy muszą starczyć dla kilku tysięcy pszczół zimowych, wyjątkowo długo żyjących robotnic, oraz królowej. Dla ociężałych trutni nikt nie robi żadnych zapasów, zaczyna się więc ponury rozdział w życiu tych owadów. Późnym latem następuje rzeź trutni, kiedy to tak dotąd rozpieszczane samce są brutalnie łapane i wystawiane za drzwi. Opór jest bezcelowy, jednak trutnie rozpaczliwie zapierają się łapkami, broniąc się przed wyrzuceniem. Zdecydowanie im się to nie podoba, a wszystkie zmysły biją na alarm. Jednak jeśli któryś broni się zbyt intensywnie, zostaje w razie czego użądlony na śmierć – nie ma zmiłowania. Kto pozostanie przy życiu, tego czeka pełna męczarni śmierć z głodu bądź też prędko ląduje w żołądku równie głodnej sikorki.

DZIKOŚĆ NIEOSWOJONA

Przed kilkoma laty dostałem telefon z sąsiedniej wioski. Zatroskana kobieta powiedziała mi, że ma w domu sarnię i nie wie, co z nim zrobić. Po kolejnych pytaniach okazało się, że zwierzaka przyprowadziły do domu jej dzieci, które bawiły się w lesie. Cholera! To, co dzieci w zabawie mogły nawet uczynić w dobrej wierze, dla młodego zwierzęcia oznaczało katastrofę. A to dlatego, że sarny zasadniczo zostawiają swe dzieci w pierwszych tygodniach same, by leżały w zaroślach lub wysokiej trawie, ponieważ tak jest bezpieczniej dla obu stron. Matka z młodym jest powolna, bo stale musi czekać na swą latorośl. Młode nie doświadczyło jeszcze powagi życia i gdzieś tam się guzdrze – idealna okazja dla wilków czy rysiów. Z daleka już widzą nadciągającą parę i mogą bez trudu złowić sobie posiłek. Z tego powodu sarny w ciągu pierwszych trzech do czterech tygodni wolą się rozdzielić ze swymi małymi gałganami i zostawić je w bezpiecznym miejscu. Od strony zapachowej sarnięta są świetnie zamaskowane, bo nie wydzielają niemal żadnego zapachu, który mógłby zwrócić uwagę drapieżców. Koza (samica sarny) pojawia się tylko na krótko od czasu do czasu, by nakarmić koźlę, a potem znowu znika. W ten sposób ma więcej czasu na konsumpcję pożywnych pąków i czubków gałązek i nie musi się stale stroskana rozglądać za maluchem. Jeżeli więc prostoduszny człowiek natknie się na takie samotne, cichutko leżące sarniątko, to niemal odruchowo stara się o nie zatroszczyć. Strach pomyśleć, co mogłoby spotkać samotne ludzkie niemowlę, gdyby ktoś je tak po prostu położył gdziekolwiek i poszedł sobie!

Ciągle więc „pomocne osoby" spontanicznie rzucają się na ratunek i zabierają ze sobą do domu rzekomo osierocone zwierzątko. Przeważnie nie wiedzą jednak, co dalej z nim począć, i dzwonią do fachowców. Najpóźniej wtedy orientują się, że zabranie sarniątka ze sobą było ogromnym błędem, którego wszakże nie da się już zwykle naprawić. Zwierzęce dziecko przesiąkło ludzkim zapachem, powrót do lasu i do matki stał się niemożliwy, bo nie rozpozna ona swego potomka. Wychowanie malucha na butelce jest żmudne, a w wypadku koźlątek płci męskiej dodatkowo ryzykowne, jak zobaczymy w dalszej części rozdziału.

Dla mnie sarny stanowią wymowny przykład tego, że matczyna miłość może przybierać najrozmaitsze formy. Większość ssaków postępuje tak jak my i szuka stałego, bliskiego kontaktu ze swym potomstwem. Jednak te ssaki, których zachowanie jest odmienne, nie są pozbawione uczuć, tylko po prostu dostosowują się do innej sytuacji. Sarnięta z pewnością czują się dobrze w pierwszych tygodniach życia również bez stałego kontaktu z matką. Zachowanie to zmienia się dopiero wtedy, gdy są w stanie bez trudu dotrzymać jej kroku. Wówczas trzymają się w pobliżu kozy i rzadko oddalają się na odległość większą niż dwadzieścia metrów.

Typowe zachowanie w pierwszych tygodniach ma jednak dla sarniąt we współczesnych czasach jeszcze inne, o wiele bardziej tragiczne skutki. W razie niebezpieczeństwa przypadają one do ziemi, bo instynktownie wiedzą, że po zapachu nie sposób ich odkryć. Ale często zagrożeniem nie jest wilk czy głodny dzik, który szuka soczystego kąska. To traktory z olbrzymimi kosiarkami, które w szybkim tempie koszą trawę na zajmujących hektary parcelach. Przytulone do ziemi koźlęta dostają się pod ostrza kosiarek i w najlepszym wypadku giną na miejscu. Często jednak zrywają się tuż przed najazdem traktora, który ścina im nóżki równo z trawą. Zaradzić temu mógłby obchód terenu wraz z psem dodatkowo sygnalizującym „niebezpieczeństwo" w wieczór poprzedzający koszenie. Wówczas sarna wzywa dziecko do ruszenia w ślad za nią i przenosi je w bezpieczniejszą okolicę, z dala od łąki. Jednak na takie akcje ratunkowe brakuje niestety czasu i ludzi.

Kolejnym przykładem tego, że dzikie zwierzęta nie nadają się na zwierzęta domowe czy wręcz do miziania, jest żbik europejski. Około 1990 roku niemal już wyginął. Żyło jeszcze mniej więcej czterysta zwierząt w Średniogórzu Niemieckim w zachodnich Niemczech, do tego doliczyć trzeba resztki populacji, czyli około dwustu osobników, w szkockim regionie Highlands. Również mój rewir – Hümmel w górach Eifel – należał do ich ostatnich refugiów i dlatego mogłem stale obserwować jednego z tych nieśmiałych minitygrysów.

Tymczasem jednak sytuacja znacznie się poprawiła. Dzięki działaniom ochronnym i ponownej introdukcji żbików do środowiska naturalnego tysiące tych kotów przemierza znowu lasy środkowej Europy.

Cechy charakterystyczne żbika są wyraźne – wielkością zwierzęta te odpowiadają krzepkiemu kotu domowemu, rysunek sierści przypomina rozmyte tygrysie futro z nutą ochry. Puszysty ogon zdobią obrączki i czarne zakończenie. Problem polega na tym, że koty domowe z futrem przypominającym tygrysie wyglądają tak samo, chociaż nie należą do dzikiego gatunku. Pewność można uzyskać, tylko badając objętość mózgu, długość jelit lub przeprowadzając testy genetyczne, a takie metody badawcze nie są naturalnie dostępne zwykłym leśnym wędrowcom. Jednakże jest parę sposobów na rozpoznanie delikwenta. Domowe koty są, no cóż, troszeczkę rozpieszczone i tylko w ciepłej porze roku przemierzają okolicę na odległość około dwóch kilometrów od domowego ogniska. Gdy tylko nastaną chłody i deszcze, żądza przygód maleje, a wraz z nią promień aktywności. Kocia podróż zwykle nie sięga wówczas dalej niż pięćset metrów od domu, bo marznące zwierzęta domowe chcą móc szybko wrócić do ciepłego lokalu. Żbiki, chcąc nie chcąc, są twardsze, nie hibernują ani nie kładą się na spoczynek zimowy i gdy spadnie śnieg, muszą dalej polować na myszy. Pręgowane koty w śniegu, wiele kilometrów od najbliższej wioski, są zatem z całą pewnością dzikie i wolne.

Od czasów rzymskich koty domowe, sprowadzone z południa Europy, wielokrotnie przewyższają żbiki liczebnością. Dlaczego więc te ostatnie nie wyginęły wskutek krzyżowania się gatunków? Tego, że oba gatunki rozmnażają się ze

sobą, dowodzi występowanie tak zwanych hybryd, czyli mieszańców. Jednakże zdarza się to tylko w wypadkach wyjątkowych. Jeżeli bowiem oba gatunki się spotykają, zdecydowanie gorzej wychodzi na tym wersja oswojona, dzikie koty
aż nazbyt szybko udowadniają słuszność swego miana. I tu
dochodzimy do pytania, czy te kiciusie również nie nadawa-
łyby się na zwierzęta domowe. W końcu na wiejskich obszarach nie raz musiało się zdarzyć (i ciągle jeszcze się zdarza),
że pojedyncze zwierzęta dołączały się do człowieka. Ostatecznie mamy pod dostatkiem miłośników zwierząt, którzy
wystawiają im jedzenie przed drzwiami. A ptaki w zimowych karmnikach pokazują przecież, że lęk zwierząt przed
człowiekiem stopniowo słabnie.

O tym, co się stanie, jeżeli żbiczy maluch dorośnie pod
opieką człowieka, dowiedziałem się niedawno we własnej
wiosce. Pewien biegacz zobaczył młode przy samotnej leśnej ścieżce w moim rewirze. Oparł się pragnieniu zabrania
ze sobą bezradnego zwierzątka i zaczął je obserwować. Po
kilku dniach wrócił w to samo miejsce, a przy ścieżce tkwił
nadal piszczący kłębek futra. Stało się jasne, że matka z jakichś powodów zaginęła, a zdane samo na siebie kociątko
z całą pewnością by zginęło. Biegacz wziął je więc ostrożnie na ręce i zaniósł do domu. W ośrodku pomocy żbikom
dowiedział się, jak postępować ze zwierzęciem, a ponadto
Instytut im. Senckenberga we Frankfurcie potwierdził na
podstawie próbki sierści, że kocię było stuprocentowo czystej rasy. Z racji krótszego jelita żbiki nie tolerują pokarmu
dla kotów, dlatego mały dzikus dostawał mięso. Już wkrótce nie dało się do niego podejść podczas karmienia, bo natychmiast przechodził do ataku. Z drugiej jednak strony na

spacerach przez łąkę kociątko wiernie trzymało się swojej rodziny, budząc nadzieje, że jeszcze się oswoi. Ale już w niedługim czasie stało się nie do wytrzymania. Robiło się coraz agresywniejsze, terroryzowało starszego kota domowego i w końcu trafiło na wybieg do reintrodukcji zwierząt w górach Westerwaldu.

Historia ta pokazuje, że wiele gatunków nie utraciło swej dzikości i dlatego nie nadaje się do życia pod opieką człowieka. W końcu nie jest kwestią przypadku, że każdy z udomowionych gatunków zwierząt ma za sobą długi proces hodowlany. A kogo jeszcze mimo to swędziałyby paluszki, temu na przeszkodzie staje prawo. W zależności od landu ustawodawstwo dotyczące ochrony środowiska lub polowań stanowi z całą surowością, że dzikie zwierzęta wolno trzymać w niewoli jedynie w wyjątkowych wypadkach za osobnym zezwoleniem.

Niektórzy jednak obywatele porywają się z motyką na słońce, i to akurat niestety w przypadku wilka. I tak ma on wystarczające problemy ze zdobyciem sobie sympatii jako repatriant na tereny środkowej Europy. Nie jest niebezpieczny dla nas, ludzi, bo go po prostu nie interesujemy. Jeżeli jednak będziemy go siłą przetrzymywać, sytuacja zacznie wyglądać inaczej. Oczywiście, trzymanie wilka nie tylko jest zabronione, gdyż – tak, zgadza się – pozostaje on nadal w takiej samej mierze dzikim zwierzęciem jak żbik. Nasuwa się zatem koncepcja, by po prostu skrzyżować go z jakimś dużym psem, na przykład husky. Celem jest uzyskanie wilczej optyki w połączeniu z psim poddaństwem. Jednak nawet coś takiego jest nielegalne. Stąd też istnieje czarny rynek na takie zwierzęta, które importowane są ze Stanów Zjednoczonych albo Europy Wschodniej[52]. Ale wysoki procent wilczej krwi powoduje, że psy nie oswajają się i całe życie, zestresowane, muszą cierpieć ludzką obecność. Przebywanie w ich bliskości jest tak czy owak niebezpieczne, bo stres rodzi agresję.

Kathryn Lord z Uniwersytetu Massachusetts w Amherst badała, dlaczego wilki, które w końcu są bardzo społecznymi zwierzętami, o wiele gorzej znoszą niewolę niż psy. Według wyników jej badań wszystko zależy od fazy socjalizacji szczeniąt. Wilczęta już w wieku dwóch tygodni poruszają się na czterech łapach, w momencie, kiedy mają jeszcze zamknięte oczy. Nic także nie słyszą, bo zdolność funkcjonowania tego zmysłu rozwija się dopiero po czterech tygodniach. Tuptają zatem ślepe i głuche wokół matki, a mimo to nieprzerwanie się uczą. Ostateczną kontrolę nad oczami zyskują w wieku sześciu tygodni, jednak wówczas małe urwisy są już świetnie obznajomione z zapachami i odgłosami watahy i najbliższej okolicy, a pod względem społecznym siedzą mocno w siodle. Psy natomiast mają pod tym względem spóźniony zapłon, ale muszą być właśnie takie. Nie wolno im zbyt wcześnie przywiązywać się do członków stada, bo ostatecznie to człowiek ma się dla nich stać najwyższym autorytetem. Za sprawą trwającej tysiące lat hodowli faza socjalizacji przesunęła się i dziś zaczyna się w wieku czterech tygodni. Zarówno u wilczych, jak i psich szczeniąt ten okres formacji trwa tylko cztery tygodnie. W tym jakże ważnym okresie wilczęta nie mają jeszcze rozwiniętych wszystkich zmysłów, natomiast psie szczeniaki mogą poznawać otoczenie kompletnie wyposażone – a w ostatnich dniach tego okresu do ich otoczenia należy również człowiek. W późniejszym czasie psy będą się najlepiej czuły w naszym towarzystwie, wilkom jednakże pozostanie na resztę życia pewna nieufność[53]. To zasadnicze nastawienie względem nas najwyraźniej nie ginie nawet u mieszańców wilka i psa.

Jednak w porównaniu z sarnięciem mieszaniec wilka jest nieszkodliwy. Sarnięciem? No, nie z każdym, tylko samczyki stanowią rzeczywiście zagrożenie życia dla ludzkich opiekunów. A to dlatego, że z malucha w słodkie kropeczki robi się w ciągu roku wyrośnięty kozioł. Sarny są samotnikami i nie tolerują konkurencji w swoim rewirze. Czuła więź z czasów dzieciństwa rozwiewa się, a ponieważ opiekun (przynajmniej w oczach kozła) musi być sarną, jest też z całą pewnością rywalem. Takiego należy przegonić wszelkimi siłami. Kto nie potrafi czynić tak zgrabnych uników jak konkurencja, ten w razie wątpliwości dostanie ostrymi rogami prosto w brzuch. Takie zachowanie nie jest wyjątkiem, lecz regułą. Nawet gdy zwierzęta zostaną z powrotem wypuszczone na wolność, niebezpieczeństwo może pozostać. W końcu nawet sarny posiadają pamięć i w późniejszych latach życia nie zawsze unikają ludzi. W 2013 roku gazeta „Schwarzwälder Bote" donosiła, że na boisku w miejscowości Waldmössingen w godzinach wieczornych kozioł zaatakował i poranił dwie kobiety. Okazało się, że rok wcześniej został wychowany przez człowieka[54].

KISZKI NA GRZANCE

Jak już pisałem w rozdziale *Wstyd, żal i skrucha*, nasze konie Zipy i Bridgi dostają codziennie w południe porcję koncentratu zbożowego. Za pomocą kalorycznych zbóż mamy nadzieję trochę odkarmić przede wszystkim starszą Zipy. Konie nie potrafią najwyraźniej dokładnie żuć, bo w pacynach łajna znajdują się pojedyncze nienaruszone ziarna. W tym miejscu zrobi się nieapetycznie, bo one właśnie wpadły w oko naszym „wronom domowym", które stale przechadzają się w pobliżu pastwiska. Rozdziobują one końskie „jabłka" i wyciągają z nich pojedyncze ziarna owsa. Pyszne? Uważam, że wygląda to dość obrzydliwie, nasuwa się więc pytanie, czy taka wydalona żywność rzeczywiście może smakować. Czy zwierzęta nie mają w ogóle zmysłu smaku? Ależ mają, nawet z całą pewnością, tyle że jest on dostrojony do innej tradycyjnej diety niż nasze podniebienie. (Naturalnie również u nas, ludzi, istnieją najrozmaitsze upodobania smakowe. Pomyślcie tylko o tak lubianych w Chinach stuletnich ciemnoszklistych jajkach, które przynajmniej nam, Europejczykom, kojarzą się raczej ze zgnilizną i rozkładem niż z delikatesami).

Również nasze konie dostarczają kolejnego dowodu na istnienie zmysłu smaku u zwierząt. Trzeba je dwa–trzy razy do roku odrobaczać i w tym celu wciskamy im do pyska specjalną pastę z tubki. Chyba nie jest ona najsmaczniejsza, bo gdy tylko obie delikwentki się zorientują, co się święci, z najwyższą niechęcią pozostają w naszym pobliżu. Producent jednak już odpowiednio zareagował – pasta odrobaczająca jest teraz dostępna również w wersji o smaku jabłkowym, uwielbianym przez konie. Od tej pory procedura odrobaczania idzie nam nieco sprawniej.

Właściciele psów aż nadto dobrze wiedzą, że psy uczą się także w procesie wychowania, co jest smaczne, a co nie. Przy zmianie marki karmy niektóre czworonogi odmawiają jedzenia. Crusty, buldog francuski, jadł wprawdzie z wielkim apetytem, jednak podanie obcych mu przysmaków srodze się zemściło – przynajmniej na nas. Niedługo później po całym pokoju dziennym zaczęły się rozchodzić co dziesięć minut kłęby smrodu, wydobywające się z zadka Crusty'ego.

Króliki natomiast, jeśli chodzi o poczucie smaku, są nieco bardziej zaawansowane w perwersji niż wrony. Ptaki przynajmniej buszują w cudzym łajnie i wyjadają z niego same ziarna, króliki natomiast pożerają własne odchody. No ale jednak nie wszystkie bobki jak leci, lecz tylko wybrane. Królikom, podobnie jak innym roślinożercom, bakterie jelitowe pomagają rozpuszczać i trawić przeżute trawy i zioła. Specjalne gatunki bakterii rozkładające zieleninę na części składowe znajdują się przede wszystkim w jelicie ślepym. Jednakże część wyprodukowanych substancji, jak białko, tłuszcz i cukry, może być przyswojona wyłącznie przez jelito cienkie, a ono głupim trafem leży przed jelitem ślepym. Cała więc ta pożywna breja przesuwa się niewykorzystana przez system trawienny i nieuchronnie znów ląduje na zewnątrz. Cóż więc logiczniejszego niż spożycie z zadowoleniem wydalin z jelita ślepego – natychmiast, gdy opuszczą odbyt – i przepuszczenie ich raz jeszcze przez jelito cienkie, by wyciągnąć z nich cenne kalorie?[55] Jedynie ostatecznie przetworzone odpady w postaci twardych kuleczek nie są już godne króliczej uwagi i najwyraźniej traktowane jak fekalia.

Nam, ludziom, nie mieści się w głowie spożywanie odchodów, czy to zwierzęcych czy też własnych. Przynajmniej nie wszystkim. Ale tych, którzy jednak robią coś takiego, można znaleźć także wśród mieszkańców środkowej Europy – to myśliwi. Do dzisiaj polują na bekasy, co osobiście uważam za równie odrażające, jak polowanie na wieloryby. Dodać trzeba, że na tych ptakach jest bardzo mało mięsa i być może dlatego powstał osobliwy zwyczaj, który polega na jedzeniu między innymi ptasich wnętrzności*, czyli również jelit wraz z zawartością (a więc łajnem). Drobno posiekane i przyprawione wszelkimi możliwymi dodatkami, na przykład słoniną, jajkami i cebulą, kładzie się na kawałku chleba i zapieka – przysmak nemroda gotowy. Jaja robaków i podobne atrakcje znajdujące się w ptasim łajnie

---

* Niemieckie określenie bekasich podrobów, a zarazem całej przyrządzanej z nich potrawy, brzmi „Schnepfendreck", czyli dosłownie „bekasie łajno". Polszczyzna gubi to znaczenie.

giną w wysokiej temperaturze, ale mnie przechodzi apetyt na samą myśl o takich „rozkoszach podniebienia".

Zwierzęta muszą mieć poczucie smaku, żeby odróżnić nieodpowiednie (lub wręcz trujące) pożywienie od pożądanego. Jednak przy wielu podobieństwach do naszego gustu u wielu gatunków jest on inny niż u nas. Tak na przykład niemiecki idiom „koci łasuch" (*Naschkatze*), chętnie odnoszony do amatorów słodyczy, w ogóle do kotów nie pasuje. Podobnie jak wielkie koty w rodzaju lwów i tygrysów, a także foki zwyczajne, zatraciły one w toku ewolucji receptory słodkiego smaku. Wyraźnie pokarm zawierający cukier nie jest specjalnie interesujący dla tych zwierząt i można to łatwo zrozumieć – mięso nie jest słodkie[56].

Jeszcze trudniej przychodzi porównanie naszego zmysłu smaku z motylim, na przykład pazia królowej. Samiczka składa jaja tylko tam, gdzie potomstwo będzie mogło zajadać soczyste liście odpowiednich roślin. Wyklutym z jaj gąsienicom wystarczy jedynie wgryzać się w otaczającą zieleń, by się najeść. Jednak motyl, szukając dogodnego miejsca do złożenia jaj, nie musi kosztować każdej rośliny, załatwia to za pomocą sondy nóżkami. Łazi po liściu i nóżkami, na których znajdują się włoski czuciowe, rozróżnia do sześciu różnych substancji smakowych. A to jeszcze nie wszystko – motyl rozpoznaje nawet wiek rośliny oraz jej stan zdrowia[57]. Brzmi niewiarygodnie? My też potrafimy rozpoznać, czy coś jest świeże, czy już przywiędłe – pomyślcie na przykład o przejrzałych bananach. Wyczucie smakiem stanu zdrowia rośliny może być decydujące dla przetrwania potomstwa – jeżeli zioło umrze, zanim gąsienice zdążą się przepoczwarzyć, kończy się sen o przemianie w motyla.

SZCZEGÓLNY AROMAT

Po zmyśle smaku wypadałoby zająć się bliżej zmysłem powonienia. Zwierzęta mają świetne wyczucie, co pachnie dobrze, a co paskudnie. Służy to nie tylko, jak w wypadku zmysłu smaku, sprawdzeniu jakości pożywienia, lecz także podobnym celom jak u nas – za pomocą zapachu można podnieść swą atrakcyjność u płci przeciwnej. Jak bardzo jednak pojęcie cudownych woni może być oddalone od naszego, demonstruje nam jesienią kozioł Vito. Jak już wcześniej pisałem, wykorzystuje on perfumy własne, czyli mocz, by stać się atrakcyjnym dla obu kozich dam. Z tego powodu moja żona przebiera się i nakłada czapkę, gdy wybiera się do obórki naszego małego stadka, gdyż przenikliwy odór przenika nie tylko cały ogród, ale wsącza się także w materiał i we włosy.

Jednak to, co nam wydaje się obrzydliwe, może być tylko zjawiskiem kulturowym właściwym naszej epoce. Fakt, że jeszcze przed dwustu laty nie było dezodorantów (a przynajmniej nie znajdowały się w powszechnym użyciu), można chyba tłumaczyć także wyuczonym w trakcie wychowania odbieraniem zapachów. Napoleon miał pisać z pola walki do swojej Józefiny: „Wracam jutro wieczorem do Paryża. Nie myj się!". Podobnie hiszpańscy zdobywcy z XVI wieku byli podejrzliwie nastawieni wobec mycia. Być może chcieli się odróżnić od schludnych Maurów, których właśnie dopiero co przegnali z Półwyspu Iberyjskiego. Aztekowie z Meksyku, którzy po raz pierwszy zobaczyli jasnoskórych obcych, również węchowo poczuli różnicę względem swych kąpiących się w łaźniach parowych rodaków – obrzydliwe! Bardziej aktualnym przykładem może być stary, długo dojrzewający ser. Można by go inaczej określić jako zepsute i stwardniałe białko mleka, którego wyziewy w innym kontekście mogłyby wywołać wymioty. Nie wyliczam tych przykładów po to, by pod względem zapachu postawić ludzi na równi z cuchnącymi zwierzętami, nie, chodzi mi tylko o dobitne ukazanie, że odór może być odbierany przez ludzi w najrozmaitszy sposób.

Psy są w stanie przebić zapach kozłów. Nasza suka Maxi tarzała się z upodobaniem w lisim łajnie, które śmierdzi wyjątkowo przenikliwie. Świeże krowie placki także stanowiły chętnie wykorzystywane źródło woni specjalnych. Długo zakładano, że czworonogi robią tak po to, by zamaskować własny zapach. Dzięki temu zwiększałyby swe szanse na polowaniu, przynajmniej jeśli chodzi o dzikich przodków. Dzisiaj przyjmuje się, że psy, a także wilki przekazują sobie wiadomości zapachowe lub całkiem po prostu chcą czasem znaleźć się w centrum zainteresowania sfory czy watahy.

A przy tym nie traktują zapachu padliny lub fekaliów rośli-nożerców jako czegoś nieprzyjemnego – wręcz przeciwnie[58]. Nie kojarzy wam się to przypadkiem z ludzką potrzebą per-fumowania się?

Powinniście zachować czujność tylko wtedy, gdy wasz pies tarza się w lisich lub psich odchodach albo nawet je zjada. Zwłaszcza w lisim łajnie mogą się znajdować maleńkie jak ziarnka pyłku jaja tasiemca bąblowcowego wielojamowego, które po kąpieli w ekskrementach mogą sypać się z futra wa-szego ulubieńca – i to najprawdopodobniej w pokoju dzien-nym. Wtedy wy zajmujecie miejsce myszy, w której pierwot-nie miały one wylądować. Rozwijające się larwy zasiedlają organy wewnętrzne i spowalniają gospodarza, ponieważ jest chory. Takie myszy są wyjątkowo chętnie łapane przez lisy, koło się zamyka. Ale naturalnie nie z wami w roli pośred-niego żywiciela – nas, ludzi, czeka ciężka choroba, która w zależności od stadium rozpoznania jest bardzo trudna do leczenia. Świeżo usmarowane łajnem psy należy dlatego wyjątkowo poddać solidnemu prysznicowi.

Jednakże mimo różnic w ocenie zwierzęta odbierają nie tylko przyjemne wonie, lecz także odory. Dotyczy to przede wszystkim własnych ekskrementów. Gdzie ktoś zrobił wia-domy kopczyk, tam żaden roślinożerca nie będzie już się pasł. A to dlatego, że właściwie nie ma sarny, jelenia, kozy czy krowy bez robaków. W odchodach znajduje się odpo-wiednio dużo pamiątek po tych pasożytach, na przykład po nicieniach płucnych. Gram odchodów może zawierać do siedmiuset ich jaj, które zostaną połknięte przez zwierzę podczas pasienia[59]. Masywne zarobaczenie osłabia organizm, dlatego tacy roślinożercy łatwiej padną łupem rysia i wilka.

Stąd też logiczne jest, że własne ekskrementy są traktowane ku przestrodze jako absolutnie odpychające.

Myślę, że większości zwierząt własne odchody śmierdzą równie wstrętnie, jak nam nasze własne. Pięknej poszlaki w tej mierze dostarcza tu wiele zwierząt domowych. Tak na przykład nasze konie wyszukują sobie na pastwisku „cichy kącik", który odwiedzają wyłącznie w celach defekacji. W naturze, swobodnie wędrując, uniknęłyby tak czy owak niebezpieczeństwa pasienia się zbyt często w tym samym miejscu. Tam, gdzie my, ludzie, utrudniamy takie wędrówki, zwierzęta wspomagają się stosownymi miejscami w zakątkach pastwiska, które rezerwują sobie do tego celu. Również Blacky, Hazel, Emma i Oskar, nasze króliki, wyszukują sobie w królikarni i na wybiegu okolice toaletowe, w których załatwiają grubszą potrzebę. Tylko w masowych hodowlach to nie działa, tam kury czy świnie muszą wręcz spać we własnym gnoju. Jedynym sposobem na zapobieganie silnym zarobaczeniom jest tu regularne podawanie leków – szkoda, bo pigułki nie likwidują, niestety, równocześnie smrodu.

Wypróżnianie się jest zresztą dla wielu zwierząt równie wstydliwą sprawą jak dla nas. Na przykład buldożek Crusty, jeśli był na smyczy, ciągnął gdzieś w krzaki, z dala od nas, jeśli miał do załatwienia poważniejszy interes. Dodatkowo odwracał się do nas zadkiem, czyli nas nie widział – wyraźnie byłby zażenowany, gdyby ktoś go podglądał, jak przykuca. Abstrahując od zapachu, dla wielu zwierząt równie ważną kwestią jest czystość. Tak samo jak my czują się bardzo źle, gdy przyczepi się do nich kawałek łajna czy innego paskudztwa. Być może reakcja przedstawicieli własnego gatunku wzmacnia to zakłopotanie. Kto ma zabrudzony zadek, ten sygnalizuje, że może być chory i dlatego ma biegunkę. A któż chciałby się zarazić, nie mówiąc już o kopulowaniu z takim partnerem? Stąd też zwierzęta bardzo pedantycznie pilnują higieny osobistej. Jednak pojęcie „czystości" jest inaczej definiowane niż u nas. Przykładowo dziki lubią się latem ochłodzić i w tym celu w zachwycie tarzają się w dołach pełnych błota. Wśród pochrząkiwania i machania ogonami intensywnie ryją ziemię, przewalają i z powrotem się w niej kładą. Po zakończeniu tej procedury całą ich sierść pokrywa beżowa warstwa. A jednak zwierzęta nie czują się brudne. Bo właściwie dlaczego? Czy to nie jest odpowiednik ludzkich okładów borowinowych lub z fango, pełnego minerałów szlamu pochodzenia wulkanicznego, z których korzystamy za niemałe pieniądze? Dziki czują się podobnie – niczym prosto z kąpieli, a wrażenie to nie bierze się znikąd. Do schnącej skorupy przylepia się wiele pasożytów, na przykład kleszcze i pchły. Gdy gliniany pancerz stwardnieje, całość należy sczochrać o specjalne drzewa. Są to zawsze te same drzewa lub pniaki, użytkowane przez wiele lat i w miarę upływu czasu wyślizgane na gładko. Po takim zabiegu można się pozbyć nie tylko uciążliwych zwierzątek, lecz także starej sierści, która również może przyprawiać o swędzenie.

Z naszymi końmi dzieje się podobnie. I one chętnie się tarzają, zwłaszcza wtedy, gdy zmieniają sierść. Zależnie od pogody jest ona później także pełna zaschniętego błota – ale właśnie błota, a nie łajna.

WYGODA

Nasz krajobraz wygląda jak jedyny w swoim rodzaju patchwork, przynajmniej z punktu widzenia dzikich zwierząt. Wielkie obszary, nieposiekane osiedlami czy drogami, należą do przeszłości, a gdyby ktoś z was chciał się kiedyś zagubić na pustkowiu, to mu się nie uda. Bo nawet najbliższe naturze ekosystemy, jakie jeszcze nam pozostały, a mianowicie lasy, nie są już tym, czym kiedyś były. Na kilometr kwadratowy lasu przypada dziś trzynaście kilometrów dróg leśnych, by ciężarówki do przewozu drewna mogły dojechać do najdalszych zakątków. Patrząc czysto statystycznie, już po niecałych stu metrach wędrówki na przełaj natkniecie się na jakąś drogę, tak że przygoda mogłaby polegać co najwyżej na wyborze błędnego kierunku na rozstajach. Dla natury drogi mają ewidentne wady. W ich otoczeniu luźna niegdyś gleba została solidnie ubita i wszystkie żyjątka, mieszkające w jej głębszych warstwach, się udusiły. Ponadto drogi blokują przepływ wody niczym tamy i tego faktu nie należy lekceważyć. W podłożu płyną niezliczone wody gruntowe, które w wielu wypadkach tworzą zastoiny lub zmieniają bieg. W ten sposób niejedna połać lasu zmieniła się w grzęzawisko, gdzie wiele drzew powoli kona, bo ich korzenie obumierają w zgniłej brei. Drogi leśne stanowią poważną przeszkodę także dla cieniolubnych gatunków chrząszczy biegaczowatych. Chrząszcze te bowiem oduczyły się już latania i nie odważą się wychynąć z panującej między drzewami ciemności na zalany światłem szlak. A przez to są uwięzione na małym obszarze, okolonym ze wszystkich stron drogami, i nie mogą już wymieniać się genami z populacjami sąsiadów.

Jednakże drogi nie są zasadniczo niekorzystne dla zwierząt. Sarny, jelenie czy dziki zachowują się podobnie jak my – nie przepadają za wędrówkami na przełaj. Przedzieranie się w pluchę przez mokrą trawę czy chaszcze nie należy do przyjemności, dlatego czworonogi z wdzięcznością użytkują nasze ślicznie zaplanowane ścieżki migracji. Bo ulice i drogi nie są niczym innym niż ścieżkami migracji człowieka. O wiele wygodniej się nimi poruszać, o czym możecie się przekonać po licznych tropach, jakie się odcisnęły w miękkich miejscach na powierzchni.

Tam, gdzie człowiek nie pomaga, zwierzęta same sobie tworzą takie szlaki. Jednak są one znacząco węższe, ich szerokość odpowiada tylko szerokości zwierzęcia. Nie ma tu planowego podejścia do działania. W pewnym momencie prowadząca dziczą watahę locha przodownica znajduje na przykład wygodną drogę przez poszycie lasu. Pozostałe dziki podążają za nią i już trawa i zioła zostają stratowane. Następnym razem da się jeszcze rozpoznać słaby ślad i przejdzie się nim trochę wygodniej. Wraz z upływem czasu i po wieloletnim użytkowaniu następuje to samo, co w wypadku ludzkich ścieżek – wszelka wegetacja zostaje zadeptana i widać wąski pasek gołej ziemi. Wiedza o tej dogodnej do wędrówek ścieżce przekazywana jest z pokolenia na pokolenie, chyba że ludzie pokrzyżują zwierzętom szyki. Sam na przykład na początku kierowania rewirem kazałem zbudować płot wokół nasadzeń dębów. Zbyt wiele jeleni miało chrapkę na soczyste pędy siewek, musiałem więc je chronić. Później okazało się, że płot przegrodził odwieczną ścieżkę wielkich roślinożerców i zmusił do szukania innych tras. W rezultacie doprowadziło to do tego, że zwiększyła się liczba sytuacji niebezpiecznych dla kierowców, ponieważ jelenie pojawiały się teraz w miejscach, w których nikt się z tym nie liczył. Tymczasem jednak płot usunięto, a zwierzęta wróciły na swe stare, tradycyjne szlaki.

Zresztą nasze drogi powstawały w podobny sposób jak zwierzęce. Mogłem to zaobserwować w naszym lesie cmentarnym „Ruheforst"*. Dzierżawi się w nim prastare buki jako żywe nagrobki, pod którymi dokonuje się pochówków w formie złożenia urn. Dzięki temu tysiącletni las zostaje ocalony przed wycinką. Leśnicy umyślnie nie wytyczali tam nowych dróg i ścieżek, by jak najmniej zakłócać spokój natury. Jednakże parę ścieżek powstało, i to tam, gdzie szczególnie łatwo da się przejść między drzewami a ich liczonymi w milionach latoroślami. Pomógł tu także deszcz. Gdy nad las nadciąga front brzydkiej pogody, liście młodych buków ociekają wilgocią. Nikt nie chciałby się tamtędy przedzie-

---

* W dosłownym tłumaczeniu oznacza to „las spoczynku".

rać, bo w ułamku sekundy miałby spodnie przemoczone do suchej nitki. Szukamy więc tras, którymi można przejść w miarę sucho, i ten niewielki ślad znajduje naśladowców. Odpowiada mi to zresztą, bo w ten sposób wędrówki gości koncentrują się na kilku promilach leśnej gleby.

Zwierzęce ścieżki nie oznaczają jednak samych korzyści. Wzmożony „ruch drogowy" przyciąga bowiem również nieproszonych gości. Oprócz czających się w pobliżu drapieżców, chętnych do konsumpcji nieostrożnych przechodniów, pojawiają się przede wszystkim małe bezkręgowce, które tu czekają na posiłek – kleszcze. Należą do roztoczy i posiłki z krwi są dla nich niezbędne. Ponieważ poruszają się szalenie wolno, muszą czekać na swoją ofiarę. A jakie miejsce lepiej do tego się nadaje niż mocno uczęszczane ścieżki? Kleszcze wczepiają się w źdźbła traw, gałęzie lub liście nie wyżej, niż sięgają grzbiety saren czy dzików. Na ich przednich odnóżach znajdują się narządy węchu, za pomocą których mogą one wykryć oddech lub pot ssaków. Ponadto małe bezkręgowce odczuwają wstrząsy wywoływane zbliżającymi się krokami. Gdy duży ssak przechodzi przez trawy, kleszcz wyciąga przed siebie przednie odnóża i zabiera się razem z nim. Następnie wpełza w miękką, ciepłą fałdę skórną i przystępuje do posiłku. Jeżeli zatem udajecie się latem do lasu, nie korzystajcie ze zwierzęcych dróg. Zimą problemu nie ma, bo kleszcze w niskich temperaturach nie są aktywne.

Ale powróćmy raz jeszcze do przemoczonych nóg. Pewnie podczas jakiegoś spaceru zdążyliście się już przekonać, jakie to nieprzyjemne. Czemu więc zwierzęta miałyby to inaczej odczuwać? Mokre futro powoduje marznięcie, lepiej zatem pozostać na wygodnych ścieżkach. Mają one dla nich kolejną zaletę – prędkość. Gdy coś nagle trzaśnie w leśnym poszyciu i nadciąga wróg, by pochwycić i pożreć warchlaka lub cielę jelenia, stado ucieka co sił w nogach. A ponieważ w lesie wszędzie leżą grube gałęzie i martwe drzewa, zamieniające ucieczkę w tor przeszkód, najlepiej pędzić pustymi trasami.

Przy ścieżkach czają się zresztą poza kleszczami inni jeszcze pasażerowie na gapę. To rośliny, które czekają tu na dalszy transport dla swego potomstwa. Tak na przykład przytulia czepna tworzy malutkie owocki z haczykami. Gdy zwierzę podejdzie i otrze się o roślinę, zabierze ze sobą porcję nasion, które spadną z niego gdzieś dalej. Dowiedziono, że takie gatunki specjalnie rozprzestrzeniają się w pobliżu zwierzęcych ścieżek.

BRZYDKA POGODA

Któż by dobrowolnie wybrał się podczas burzy do lasu? Uderzenia piorunów w drzewa są śmiertelnie niebezpieczne, a lejący się z nieba cebrami lodowaty, huczący deszcz również nie należy do przyjemnych przeżyć. Przez wiele lat oferowałem w moim rewirze treningi surwiwalowe, których uczestnicy, wyposażeni jedynie w śpiwór, kubek termiczny i nóż, spędzali weekend w lesie. Spali tam i przede wszystkim szukali pożywienia. Podczas takich poszukiwań zaskoczyła nas kiedyś gwałtowna burza, którą chcąc nie chcąc, musieliśmy przetrwać. Nie tylko wilgoć, ale i bliskie uderzenia piorunów dostarczały powodów do niepokoju, który starałem się łagodzić wyraźnie manifestowaną swobodą zachowania, by dodatkowo nie potęgować obaw uczestników. W środku jednak czułem narastającą panikę, gdy ledwie sto metrów od nas piorun z całą mocą walnął w drzewo. Bo nawet gdy grom nie uderzy w nas bezpośrednio, to otoczenie drzewa jest również niebezpieczne, jak wielokrotnie mogłem bezpośrednio po takim wyładowaniu obserwować. Umiera wówczas nie tylko rozdarty pień, lecz także ponad dziesięć drzew towarzyszy, rosnących w jego bezpośredniej bliskości. W skrajnym przypadku udało mi się zobaczyć nawet coś w rodzaju miotania nożem. Uderzenie pioruna doprowadziło do powstania tak dużych naprężeń w świerku, że drewno rozprysnęło się na mnóstwo kawałków, które z takim impetem przeleciały przez okolicę, że niektóre z drewnianych kling wbiły się w sąsiedni pniak.

Podczas szkolenia surwiwalowego zostaliśmy jednak po burzy nagrodzeni pięknym widokiem dzikiej zwierzyny. Deszcz raptownie ustał, chmury się rozstąpiły i wyjrzało przez nie promienne i gorące słońce. Wokół nas parowała roślinność i nagle na małą polankę wyskoczyła sarna. Kompletnie przemoczone zwierzę szukało ciepła, by się ogrzać. Było w takiej samej sytuacji jak my i poczułem z nim spontaniczną więź.

A jak właściwie wygląda ta sprawa u dzikich zwierząt? Przez cały rok muszą wytrzymać na dworze w deszcz i niepogodę, co akurat w chłodnej porze roku jest z pewnością bardzo nieprzyjemne. A może nie? Przyjrzyjmy się bliżej. Najpierw mamy sierść, która zatrzymuje o wiele więcej wilgoci, niż się to pospolicie sądzi. A to dlatego, że tłuszcz, który my, ludzie, bezustannie zmywamy z włosów szamponem, ma je tak naprawdę impregnować. Ponadto włosy na grzbiecie rosną ku dołowi, tak że niczym rodzaj dachówek kierują spływającą wodę w stronę ziemi. W ten sposób sarny, jelenie i dziki mają suchą skórę i początkowo nie czują wilgoci. Nieprzyjemnie robi się wówczas, gdy gwałtowny wiatr dmucha deszczem z boku, a tym samym między włosy. Starsze zwierzęta świetnie o tym wiedzą i przy takiej pogodzie zmieniają miejsce pobytu na osłonięte od wiatru. A poza tym ustawiają się tyłem do niego. Wrażliwszy pysk pozostaje przez to po zawietrznej. Problem stanowi jedynie śnieg padający przy temperaturach w okolicy zera stopni – topniejące płatki torują sobie z wolna drogę przez sierść i sprawiają, że sarny i jelenie marzną. Jednak jeśli są prawdziwe mrozy, zwierzęta wyraźnie lepiej się czują. Ich zimowe futro stroszy się i tak dobrze izoluje, że świeżo spadły śnieg może leżeć na nim nawet godzinami.

Czy z nami nie dzieje się podobnie? Czy jasny, mroźny dzień z temperaturą minus dziesięć stopni celsjusza nie podoba nam się bardziej niż deszcz z zawieruchą przy plus pięciu stopniach? Zwierzęta nie różnią się od nas zasadniczo w sprawach odczuwania temperatury, lepiej tylko, ogólnie rzecz biorąc, znoszą niższe temperatury. Ale nawet i to nie jest niezachwianym pewnikiem i tu muszę raz jeszcze odwołać się do szkolenia surwiwalowego. Przed laty zorganizowałem je kiedyś zimą i oczywiście tamtego styczniowego weekendu pogoda zrobiła się naprawdę paskudna. Temperatury oscylowały wokół zera, a z nieba raz lał się deszcz, raz sypał śnieg, co godzinę było inaczej. Nawet drewno było tak mokre, że ledwie udało nam się rozpalić ognisko i liczyłem się z tym, że uczestnicy prędko będą chcieli przerwać obóz. Jednak po nocy w zawilgłych śpiworach nasze ciała widocznie na tyle dostosowały się do panujących warunków, że nikt już nie marzł – najwyraźniej osiągnęliśmy poziom dobrostanu dzikich zwierząt.

Latem zwierzęta mają poza prażącym słońcem jeszcze jeden powód, by po oberwaniu chmury wyjść na polankę spod gęstego okapu drzew. Z liści buków i dębów tak długo spływa woda, że nawet cicha mądrość ludowa mówi o tym, iż w lasach liściastych zawsze pada dwa razy. Na sarny i jelenie dłużej zatem kropi deszcz, ale to niejedyna rzecz, która im przeszkadza – padające krople są głośne. Na tym tle akustycznym zwierzęta nie słyszą skradających się drapieżców, którzy chętnie wykorzystują taką pogodę na małe podchody. I dlatego gdy tylko ulewa się skończy, płowa zwierzyna woli ustawić się na polanie i czujnie nasłuchiwać, czy wszystko w porządku.

Małe ssaki, jak na przykład karczowniki, są w trudniejszej sytuacji. Gdy przy deszczowej pogodzie idę przez pastwisko dla koni, czasem z wejść do nor na zboczu tryska woda. Jak te małe gryzonie mogą to przeżyć? Dla nich mokre futro stanowi znacznie większe zagrożenie niż dla dużych zwierząt, bo w stosunku do wagi ciała oddają procentowo o wiele więcej ciepła i mają jednak relatywnie ogromne zapotrzebowanie na kalorie – dziennie muszą zjeść taką ilość pożywienia, jaka odpowiada wadze ich ciała. Gdy są mokre, zużycie energii wyraźnie wzrasta. A ponieważ nie zapadają w sen zimowy, nie mają też ani chwili przerwy w codziennych zabiegach o znalezienie pokarmu. Jednakże karczowniki żywią się najchętniej korzeniami traw i ziół i dlatego nie muszą wysuwać nosa na lodowatą wichurę, lecz załatwiają sprawę posiłków w podziemnych korytarzach. Ale co się stanie, gdy pojawi się tam woda? Sprytne zwierzątka zabezpieczają się za pomocą specjalnych rozwiązań architektonicznych.

Po pierwsze, przy wejściu znajduje się rynna. To tam zwierzę może wskoczyć, gdy w razie niebezpieczeństwa prędko musi uciec pod ziemię. Korytarze prowadzą głęboko, o wiele głębiej, niż jest to w gruncie rzeczy konieczne. Dopiero po krótkim odcinku znowu się nieco wznoszą, prowadząc do małych norek, wymoszczonych miękką trawą. Jeżeli więc pada tak mocno, że do wnętrza budowli przedostaje się woda, zbiera się ona w niższych partiach korytarzy, a mieszkańcy siedzą sobie zadowoleni w suchym gnieździe. Ponieważ ich nory połączone są mnóstwem korytarzy, zwierzęta mogą uciec, gdyby woda mimo wszystko podeszła pod ich gniazda. Nie zawsze jednak to się udaje. Jeżeli podczas silnego deszczu, zwłaszcza zimą, całe pastwisko stoi pod wodą, to powódź zaleje przynajmniej część gryzoni, które zginą marną śmiercią.

BÓL

Był zimny lutowy wieczór, a my w każdej chwili oczekiwaliśmy narodzin koźlątek naszej Bärli. Była niespokojna, co chwilę się kładła, w wymieniu pojawiło się mleko. Moja żona się trapiła. „Jak dla mnie to już za długo trwa – nalegała. – Nie powinniśmy jednak już zadzwonić do weterynarza, tak z ostrożności?" Uspokajałem ją: „Bärli sama sobie poradzi. Może po prostu potrzebuje trochę spokoju. Jest zdrowa i silna, nie chciałbym niepotrzebnie interweniować w takiej sytuacji".

Cóż, szkoda, że nie posłuchałem Miriam i jej szóstego zmysłu. Następnego ranka koźlątek nadal nie było na świecie, za to Bärli wyraźnie cierpiała. Zgrzytała zębami, nie chciała jeść ani wstać. To już były potężne sygnały alarmowe, jak najszybciej należało ściągnąć lekarza znającego nasze kozy. Był na urlopie, jak poinformowała nas jego zastępczyni, która jednak prędko pojawiła się w leśniczówce. Zdiagnozowała położenie miednicowe koźlątka, które niestety umarło już w łonie matki. Weterynarz ostrożnie wyciągnęła je, po czym dała Bärli lekarstwa, by zapobiec zapaleniu macicy.

Nasza koza szybko wyzdrowiała, a nam nawet udało się zdobyć dla niej dziecko do adopcji. Koziarnia w okolicy musiała się pozbyć jednego z czworaczków. Koza nie jest w stanie wykarmić czworga dzieci. Ma na wymieniu tylko dwa strzyki, a poza tym za mało mleka dla tylu pyszczków. Właściciele gospodarstwa ucieszyli się, mogąc oddać jedno z wesołej gromadki w dobre ręce. Natarliśmy malucha (naszego późniejszego kozła rozpłodowego Vita) śluzem martwego koźlątka. Brzmi to może obrzydliwie, ale dzięki temu pachniał on Bärli jak jej własne potomstwo i od razu pozwoliła mu się ssać. Mama i dziecko czuli się dobrze, a więc przynajmniej dla nich cała historia skończyła się happy endem.

Wróćmy jednak do bólu. Ból? Nadal jeszcze nie ma w tej mierze niepodważalnych dowodów, podobnie jak w wypadku ryb, o których pisałem w rozdziale *Tlący się płomyk*. Moglibyśmy wprawdzie teraz podejść do tematu od strony neurologii i przytoczyć najrozmaitsze argumenty za tym, że podobne bodźce i przebieg sygnałów, wzorce mózgowe i hormony pozwalają wnioskować o istnieniu podobnych uczuć. Ale czy nie da się tego zrobić prościej? Bärli wykazywała przecież wszystkie wzorce zachowań, które występują również u ludzi. Zgrzytanie zębami (czego kozy poza tym nigdy nie robią), brak apetytu, pokładanie się, apatia – czy nie przypomina wam to znanych zachowań człowieka w obliczu cierpienia?

Istnieją jednak jeszcze bardziej bezpośrednie dowody, które zaobserwowaliśmy u naszych kur, kóz i koni. Wszystkie zwierzęta są trzymane za dobranym odpowiednio do gatunku ogrodzeniem elektrycznym, by pozostały w wybranym przez nas miejscu. Ogrodzenie elektryczne brzmi podle, ale inne rozwiązania są mało praktyczne. Drut kolczasty odpada z uwagi na niebezpieczeństwo skaleczenia, drewniany płot przynajmniej dla kóz nie byłby trwałą przeszkodą, konie zaś z czasem pogryzłyby paliki i sztachety. A o tym, jak działa ogrodzenie elektryczne i jak reagują na nie zwierzęta, sam się mogę co pewien czas przekonać. Kiedy bowiem zamyślony idę rano do koni, by odgrodzić im nowy kawałek pastwiska, zapominam czasem o wyłączeniu prądu. I wtedy z zadumy wyrywa mnie gwałtowny wstrząs elektryczny, po czym sam na siebie jestem wściekły. W następne dni upewniam się wielokrotnie, że faktycznie odłączyłem ogrodzenie od prądu – coś takiego przemawia do instynktu, a w takich sytuacjach działa on bardzo silnie.

Dokładnie tak samo ogrodzenie działa na zwierzęta. Raz czy dwa sprawdzają doświadczalnie, jak nieprzyjemne jest zetknięcie się z nim, po czym trwale go unikają. Zasadą działania ogrodzenia elektrycznego jest zatem początkowy ból, a później już tylko pamięć o nim. Zupełnie tak, jak było w moim przypadku. Dlatego jestem głęboko przekonany, że nasze zwierzęta domowe odczuwają porażenie prądem identycznie jak my. I nie tylko nasze zwierzęta domowe. W wypadku kur siatka elektryczna służy przede wszystkim do odstraszenia lisa i świetnie spełnia swoje zadanie. Rolnicy ogradzają drutami pod napięciem pola kukurydzy, by ochronić je przed dzikami, a właściciele zwierząt domowych, którzy nie lubią widocznych płotów, mogą zakopać kable w ziemi. Jeżeli pies lub kot przekroczy tę niewidzialną granicę, dozna lekkiego wstrząsu elektrycznego poprzez specjalną obrożę. Każdy już musi sam ocenić, czy takie działanie jest akceptowalne czy też nie. Faktem pozostaje natomiast, że wszystkie te stworzenia odczuwają ból i instynktownie wyciągają z tego wnioski – nie wyłączając mnie samego.

STRACH

Kto nie zna strachu, czy to człowiek, czy zwierzę, długo nie pożyje, bo to uczucie chroni przed popełnieniem śmiertelnego błędu. Być może nie jest wam obce nieprzyjemne uczucie na dużej wysokości, na przykład na platformie widokowej albo paryskiej wieży Eiffla. Ja wtedy czuję, jak narasta we mnie niepokój i pragnienie, by jak najszybciej zejść. Z ewolucyjnego punktu widzenia to bardzo rozsądne, bo ten wrodzony instynkt ocalił w końcu naszych przodków przed gwałtownym zakończeniem łańcucha pokoleń wskutek upadku z urwiska.

Zwierzęta nie tylko znają dojmujące uczucie strachu lub zagrożenia, lecz potrafią także – jak uczą nas dziki – świadomie je przepracować i wyciągnąć z niego daleko idące wnioski. Zróbmy w tym celu małą wycieczkę do Szwajcarii, do kantonu Genewa. Jego mieszkańcy przegłosowali w 1974 roku w referendum zakaz polowań. Myśliwi to najwięksi wrogowie dużych ssaków. A ponieważ męscy i żeńscy nemrodzi należą do gatunku *Homo sapiens*, zwierzęta łowne boją się wszystkich ludzi. To jest powód, dla którego głównie nocą wychodzą na łąki i pola, dni zaś wolą spędzać w gęstych lasach i zaroślach – poza zasięgiem wzroku niebezpiecznych dwunogów. Gdy więc w Genewie zakazano polowań, zachowanie saren, jeleni i dzików uległo zmianie. Straciły nieśmiałość i dziś można je oglądać przez cały dzień. Jednak nie tylko genewskie dziki zmieniły swe zachowanie. Dookoła, także w sąsiedniej Francji, strzela się do nich nadal ostrą amunicją. I kiedy tylko zacznie się sezon łowiecki, zwłaszcza jesienne polowania z nagonką i sforami psów, pokryte szczeciną zwierzaki zamieniają się w utalentowanych pływaków. Gdy w powietrzu niosą się sygnały myśliwskich rogów, gdy słychać pierwsze strzały ze sztucerów, wiele dzików opuszcza francuski brzeg i przepływa Ren, udając się do kantonu Genewy. Tu są bezpieczne i mogą zagrać na nosie francuskim strzelcom.

Pływające dziki dowodzą trzech rzeczy. Z jednej strony rozpoznają niebezpieczeństwo i są w stanie przypomnieć sobie polowanie z poprzedniego roku, w którym ich krewniacy padli pod gradem kul lub ciężko ranni, zostali porzuceni na pastwę losu. Z drugiej zaś muszą czuć strach, bo to on skłania je do opuszczenia rewiru, w którym tak dobrze się czuły w lecie. A z trzeciej muszą też pamiętać, że w kantonie Genewy jest bezpiecznie. W ciągu długiego okresu ponad czterech dekad dziki zyskały nową tradycję, przekazywaną z pokolenia na pokolenie – w razie niebezpieczeństwa uciekaj przez rzekę na spokojny brzeg. W latach siedemdziesiątych odkryli to drogą prób i błędów pradziadowie tych przemyślnych i zdolnych do obrony wszystkożerców.

Zwierzęta potrafią też przeżyć strach na wspomnienie czegoś, jak to już widzieliśmy na przykładzie ogrodzenia elektrycznego. Tak jak u nas pewne piosenki, zapachy czy obrazy są w stanie na nowo przywołać z głębin podświadomości groźne wydarzenia, tak też zasada ta działa na przykład u psów. Jeżeli macie takiego czworonożnego członka rodziny, to może sami przeżyliście podobne do naszych doświadczenia. Nasza mała münsterländerka Maxi uwielbiała życie i zmiany – tylko weterynarza jakoś nie. Daje zastrzyki, czasami zdarza się nieprzyjemne usunięcie zęba i nieapetyczne wyciskanie gruczołów okołoodbytowych. Nic dziwnego, że Maxi za każdym razem trzęsła się na stole weterynaryjnym i przy każdym zabiegu zamieniała w kupkę nieszczęścia. Ale nie tylko to – już podczas jazdy do weterynarza suka czuła przez nawiew w samochodzie charakterystyczny zapach otoczenia i zaczynała się bać, gdy tylko skręcaliśmy na parking. W myślach musiała oglądać film, malujący nieprzyjemną sytuację, jaka zaraz miała nastąpić. Można uznać za dowiedzione, że zwierzęta mogą doznawać strachu. Jednak reakcje naszej suki wskazywały jeszcze na coś zupełnie innego – psy potrafią, jak zresztą wiele innych gatunków, bardzo długo o czymś pamiętać (podobnie jak nasze kozy o ogrodzeniu elektrycznym). W końcu przecież nasze wizyty u weterynarza dzieliły często ponad roczne odstępy.

Nawet jeśli brzmi to paskudnie (i takie jest), to większość dzikich zwierząt dzieli los Maxi. Sam nasz widok budzi w nich strach, przynajmniej po przekroczeniu pewnej odległości. Ciekawie jednak byłoby dowiedzieć się, jak poza tym jesteśmy przez nie postrzegani. Czy odróżniają nas od innych zwierząt? Czy mają pojęcie o tym, że budujemy komputery, prowadzimy samochody, czyli umysłowo przynajmniej w niektórych dziedzinach niebotycznie je przewyższamy? I odwrotnie, abstrahując tu od zwierząt domowych, dla nas także żaden z gatunków nie ma jakiegoś wyjątkowego, całkowicie dominującego nad innymi znaczenia i nie jest przez to lepiej widoczny niż pozostałe. Czy zatem sarnie jest obojętne, czy dostrzega człowieka, myszołowa czy jeża? W gruncie rzeczy tak, co sami możecie poniekąd zrozumieć, przypominając sobie ostatnią wędrówkę po lesie. Zauważacie może rzadkie albo wyjątkowo duże lub kolorowe gatunki, ale czy jesteście w stanie przypomnieć sobie wszystkie ptaki, opisać wygląd każdej muchy? Na pewno nie, bo to, że nasze środowisko jest tak pełne różnych stworzeń, jest dla nas tak normalnym zjawiskiem, że nie dostrzegamy już szczegółowo tych, co skaczą i fruwają.

Trudno nam bliżej wyobrazić sobie ogląd z cudzej perspektywy, zwłaszcza że już wczucie się w drugiego człowieka jest praktycznie niemożliwe. To jak miałoby się nam to udać w wypadku innych gatunków? Najprostszym sposobem przybliżonej oceny jest osąd na podstawie reakcji, jakie wywołuje nasze pojawienie się. Decydującą rolę gra przy tym fakt, czy wywieramy poważny wpływ na codzienny świat danych zwierząt czy też nie. Z jednej strony może tu chodzić o ból czy wręcz śmierć wskutek gospodarczego wykorzystywania bądź polowań, z drugiej jednak o pozytywne aspekty hodowli, na przykład dostarczanie pożywienia. Osobiście za szczególnie atrakcyjną uważam sytuację pozbawioną wpływu człowieka, czyli taką, kiedy ani nie szkodzimy, ani też nie wspieramy zwierząt. Zazwyczaj inne gatunki zachowują się wówczas jak w raju – w znacznej mierze nas ignorują.

Wyjątkowo drastyczny przykład z dalekiej Afryki krążył latem 2015 roku w internecie. W relacji w Spiegel Online zamieszczono zdjęcie z południowoafrykańskiego Parku Narodowego Krugera. A na nim lwy rozszarpujące antylopę na uczęszczanej drodze pośród samochodów. To, co dla kierowców było tyleż zaskoczeniem, co szokiem, dowodziło przede wszystkim jednego – drapieżców nie obchodziło, co składało się na ich otoczenie, czy były to krzaki, kamienie czy właśnie ludzie w samochodach[60].

Łagodniejszych przykładów dostarczają bezkrwawe łowy z aparatem fotograficznym w parkach narodowych na tym kontynencie, podczas których można zaparkować o kilka metrów od zebr, likaonów czy antylop. Albo też na wyspach Galapagos, na wybrzeżach Antarktydy, w przystaniach jachtowych Kalifornii lub na terenie Yellowstone – wszędzie tam zwierzęta pozwalają podejść do siebie bardzo blisko i nie robią się nieufne. Dlaczego nie działa to tylko u nas w Europie Środkowej? W końcu mamy jedno z najwyższych zagęszczeń ssaków na świecie. Na jednym kilometrze kwadratowym powierzchni lasu żyje tu około pięćdziesięciu saren, jeleni i dzików. I chociaż zasadniczo powinniśmy widzieć te zwierzęta przez całą dobę, to spotykamy je przeważnie tylko nocą. Powód jest wam już dobrze znany – polowania na dużą skalę.

Ludzie są „zwierzętami wzrokowymi", czyli polują za pomocą oczu. A więc celem potencjalnej zwierzyny musi być zniknięcie z zasięgu tego zmysłu. Gdybyśmy polowali, wykorzystując węch, kolejne pokolenia zwierząt zapewne pozbyłyby się swoich wyziewów, gdybyśmy zaś polowali, posiłkując się słuchem, stałyby się przypuszczalnie ekstremalnie ciche. W istniejącej sytuacji dążą do zniknięcia z naszego pola widzenia. Dotyczy to przede wszystkim dziennej pory, bo skoro po ciemku prawie nic albo wcale nie widzimy, to nasza zwierzyna przenosi swoją działalność na noc. Dziś uchodzi to zresztą za oczywistość, że sarny, jelenie i dziki są aktywne nocną porą. W rzeczywistości jednak nie są, bo potrzebują jedzenia w regularnych odstępach przez całą dobę. W ciągu dnia zdobywają ją w ukrytych zaroślach lub głębokich ostępach lasu, nie zaś, jak to normalne dla tych gatunków, na łąkach czy na skraju lasów. Z rejonów chronionych przed naszym wzrokiem ośmielają się wychynąć dopiero po zapadnięciu zmroku, gdy człowiek jest upośledzony wizualnie. Tylko bardzo głodne albo nieostrożne podrostki ważą się na wcześniejsze wyprawy i ryzykują zapuszczenie w rejon myśliwskich wieżyczek. Określamy je mianem „ambon", jednak dla saren i jeleni to mordercze konstrukcje, na których siedzą ich najwięksi wrogowie, sprowadzający wśród huku i dymu nagłą śmierć.

I nie jest to moja interpretacja. Koledzy po fachu i myśliwi mają absolutną jasność, że dzikie zwierzęta gromadzą doświadczenia. Stado jeleni przeżywa odstrzał towarzysza w następujący sposób: słychać huk i nagle czuć krew. Często strzał jest nieprecyzyjny i trafione zwierzę zdoła jeszcze przebiec kilka metrów w panicznej ucieczce, zanim, wierzgając, nie runie na ziemię. Ten widok w połączeniu z wonią hormonów stresu głęboko zapada w świadomość towarzyszy z chmary. Gdy więc następnie słyszą trzaski i łomoty z ambony, ponieważ myśliwy schodzi, chcąc zabrać upolowaną zwierzynę, to inteligentne zwierzęta wyciągają prawidłowe wnioski. Odtąd przed wejściem na przesiekę spoglądają nieufnie w stronę ambony, czy siedzi tam ktoś czy nie.

Naturalnie mogłyby się trzymać od niej z daleka, ale myśliwskie konstrukcje często stoją w miejscach, gdzie rośnie wyjątkowo smaczne pożywienie. A jeśli myśliwi nie mogą takich znaleźć, zasiewają stosowną mieszankę atrakcyjnych roślin łąkowych. Takie mieszanki nazywają się na przykład „Danie jednogarnkowe na poletko żerowe" – czyż nie brzmi to apetycznie*? I w ten sposób każdy wieczór przeradza się w odmianę ruletki. Jeśli zwycięża głód, sarny i jelenie wychodzą zbyt wcześnie na przesiekę, a tym samym w pole widzenia strzelców. Jeśli wygrywa strach, wygłodniałe zwierzęta zasiądą do stołu dopiero w egipskich ciemnościach, a strzelcy będą musieli obejść się smakiem.

O tym, jak wyczulone są jelenie, donoszą badacze z Parku Narodowego Eifel**. Jeden z leśniczych, zarazem myśliwy, i pewien pracownik leśny mieli taki sam samochód. Na sam widok pojazdu leśniczego zwierzęta natychmiast rzucały się do ucieczki, zachowywały natomiast spokój, widząc nadjeżdżającego pracownika. Jednak nie tylko zwierzyna płowa posiada zdolność odróżniania ludzi przyjaznych od niebezpiecznych. Również nasze zwierzęta domowe zdają się tu na swe odczucia. Tym, czym dla jeleni i spółki jest myśliwy, tym dla kota i psa weterynarz.

Myśliwi są jednak zdecydowanie niebezpieczniejsi. Nie ma się co dziwić, że niektóre gatunki potrafią rozpoznać, kto się właśnie ku nim zbliża. Sójki zwyczajne w zasadzie uznają dzieci za nieszkodliwe, ale przed dorosłymi spacerowiczami też rzadko uciekają. Jednak na widok nadciągających

---

* W Polsce możemy kupić tylko zwykłe mieszanki roślin i ziół łąkowych, pozbawione tak poetyckich nazw.
** Znajduje się on w Nadrenii Północnej-Westfalii, w pobliżu granicy z Belgią.

myśliwych robią straszny raban i ostrzegają wszystkie zwierzęta hałaśliwym skrzeczeniem. Z tego powodu, niestety, kolorowe ptaki wciąż są celem strzelców w zielonych mundurach, mimo że dla lasu są one praktycznie niezastąpione z uwagi na rozsiewanie przez nie nasion drzew.

Pojawienie się człowieka w przestrzeni życiowej dzikich zwierząt wywołuje stres. Zmienia się przez to ilość czasu potrzebna do oszacowania stanu bezpieczeństwa – z pięciu do ponad trzydziestu procent dnia, jeżeli na danym obszarze stale zjawia się jakiś dwunóg[61].

Odnosi się to przynajmniej do ludzi, którzy są słabo przewidywalni. Trzymający się swych szlaków wędrowcy, rowerzyści czy jeźdźcy na koniach są w porządku – hałasują i poruszają się po jasno wytyczonych liniach. Dopóki nie znikną z zasięgu wzroku zwierząt, dopóty jest jasne, że poruszają się prosto od punktu A do punktu B, a zwierzęta obserwujące ich z bezpiecznej kryjówki dziennej nie mają się czego obawiać. Jednak grzybiarze, rowerzyści górscy albo właśnie myśliwi i leśniczowie poruszają się często w terenie na przełaj. A ponieważ większość osób należących do tych grup przemieszcza się samotnie, nie słychać żadnej ożywionej rozmowy, na podstawie której dzikie zwierzęta mogłyby się zorientować, jaką drogą się posuwają. Tylko od czasu do czasu trzaśnie gałązka pod stopą, może doleci jakieś chrząknięcie – i tyle. Aż wreszcie sarnom i jeleniom robi się nieco nieswojo i z przezorności wolą się spiesznie oddalić.

Można by w tym miejscu wysunąć zarzut, że przecież zawsze tak było. Jaką to sprawia różnicę, czy poluje wilcza wataha, czy człowiek? No cóż, zasadnicza różnica polega na liczbie myśliwych. Na obszarach zamieszkiwanych przez wilki mniej więcej jeden czworonożny myśliwy przypada na pięćdziesiąt kilometrów kwadratowych, natomiast na porównywalnym obszarze tłoczy się obecnie w naszym wypadku ponad dziesięć tysięcy dwunożnych drapieżców. Dzikie zwierzęta nie są w stanie tak od razu stwierdzić, że nie wszyscy z nich są uzbrojeni. W przypadkach wątpliwych wolą zejść z oczu każdego potencjalnego agresora i generalnie rezygnują z wycieczek na soczystozielone łąki w biały dzień. Sytuacja świata zwierząt wydanych na odstrzał jest więc naprawdę dramatyczna. A to dlatego, że nigdzie indziej w królestwie zwierząt nie istnieje ona w takiej formie – żeby na każdą potencjalną ofiarę przypadało wielu potencjalnych myśliwych (w naturze jest odwrotnie).

Nie dziwi zatem, że w lasach i na polach panują strach i podejrzliwość. Przyjrzyjmy się, jakie gatunki zwierząt muszą znosić stres polowań. Wspomniałem już o sarnach, jeleniach i dzikach. Dołączają do nich kozice, muflony śródziemnomorskie, lisy, borsuki, zające, kuny i łasice. Dodać tu trzeba jeszcze kilka gatunków ptaków, jak kuropatwy, różne gatunki gołębi, gęsi i kaczek, mewy, bekasowate, czaple siwe, kormorany i krukowate. Czy jeszcze może dziwić, że z całego tego barwnego spektrum niemal niczego nie jesteśmy w stanie zobaczyć w naturze? Wyobraźmy sobie sytuację odwrotną, że w Europie Środkowej grasuje od dwóch do trzech tysięcy lwów na kilometr kwadratowy. Taka przewaga względem ludzkich mieszkańców odpowiadałaby mniej więcej tej, z jaką dziś dwunogi dominują nad ściganą dziką zwierzyną. A teraz wróćmy do sposobu, w jaki te zwierzęta nas postrzegają. W tym miejscu przynajmniej moja wyobraźnia zawodzi. Ja bym się nie ważył wytknąć nosa za drzwi, gdyby za każdym krzakiem, za każdym zakrętem czaiło się śmiertelne niebezpieczeństwo. Albo co najwyżej wychodziłbym wyłącznie nocą, wiedząc, że moi prześladowcy na pewno śpią albo przynajmniej nie polują.

Kto przynajmniej raz widział, jak ktoś z jego bliskich pada na ziemię zalany krwią, komu strach i narastająca panika wryły się w mózg, ten przekaże dalej te doświadczenia, i to prawdopodobnie niejednemu pokoleniu.

I nie potrzeba do tego – jak już stwierdzono – języka. Bo strach odbija się nie tylko na ciele, ale i na genach, jak donosiło już w 2010 roku czasopismo „Die Welt"[62]. Instytut Psychiatrii im. Maxa Plancka w Monachium odkrył, że podczas traumatycznych przeżyć do genów dołączają się określone elementy (grupy metylowe). Działają jak przełączniki, zmieniając ich działanie[63]. Może to, jak twierdzą uczeni, zmienić na całe życie czyjeś zachowanie, co przykładowo wykazali na myszach. Nauka zakłada, że owe zmienione geny mogą też odpowiadać za dziedziczenie określonych wzorców zachowań. Inaczej mówiąc, za pośrednictwem kodu genetycznego mogą być przekazywane nie tylko cechy cielesne, lecz w pewnej mierze także doświadczenia. A jakie doświadczenie może być bardziej traumatyczne niż ciężkie zranienie lub śmierć bliskich krewnych? Przykra jest myśl, że duża część zwierzęcego świata żyje obok nas pogrążona w traumie.

Ale na szczęście wspólne życie dzikich zwierząt i człowieka ma też swoje jasne strony. Istnieje nadzieja, że w Europie Środkowej także potrafimy żyć ze sobą w pokoju, jak wskazuje rosnące zagęszczenie dzikich zwierząt w miastach. W królestwie zwierząt rozniosło się, że tu powstał swego rodzaju rezerwat ochronny. Rzeczywiście tereny zabudowane zaliczają się do tak zwanych terenów chronionych, na których polowanie jest zasadniczo zabronione. Tym samym jedynie fakt zabudowy różni Berlin, Monachium czy Hamburg od parków narodowych. Dziki w ogródkach przydomowych, które nie dają się przegonić (bo niby dlaczego?) i ryją grządki z tulipanami, lisy kopiące sobie nory w ulicznych nasypach, szopy pracze, które wygodnie się urządziły w garażach i na strychach – zwierzęcy świat czuje się w samym środku naszej cywilizacji jak pączek w maśle. Dla nas asfalt i rzędy szarych domów oznaczają oddalenie od natury, ale zwierzęce oczy widzą jedynie wyjątkowo skalistą przestrzeń życiową, gdzie górskie szczyty mają osobliwie sześcienne kształty. Miejskie rejony okazują się w coraz większym stopniu ekologicznymi perełkami. Przykładowo Berlin z około stu parami lęgowymi jastrzębi ma jedną z najwyższych populacji tych ptaków. Gnieżdżą się one w miejskich parkach i stamtąd wyprawiają na łowy na króliki i gołębie. Sam obserwowałem lisa w pobliżu Bramy Brandenburskiej, który niewzruszony spożywał wyrzuconą kiełbaskę curry.

Nie każdy mieszczuch toleruje taką bliskość. Pewna starsza dama opowiadała mi, że się boi, widząc lisa pojawiającego się przed jej drzwiami na taras. Natychmiast odżywają nam w pamięci pojęcia takie jak wścieklizna i bąblowiec i psują piękne w gruncie rzeczy spotkanie z żywą przyrodą. Niebezpieczeństwo związane z dzikimi zwierzętami jest przy tym bardzo umiarkowane. Wściekliznę wyeliminowano już wiele lat temu, a bąblowiec, przynajmniej w naturze, występuje raczej rzadko. Wspomniałem już o tym, jak przebiega łańcuch zakażenia od myszy do lisa i jakie problemy stwarza lisie łajno. Jeżeli psy zjedzą zarażoną mysz (a istnieje wiele psów polujących na myszy!), wówczas przy załatwianiu grubszej potrzeby wydalą również tysiące jaj. Po czym starannie się wyliżą pod ogonem i po futrze i już mogą roznosić po mieszkaniu jaja maleńkie jak ziarnka pyłku. A zatem od lisa niebezpieczniejszy jest własny pies, jeżeli nie jest regularnie odrobaczany.

Być może zresztą dlatego tak wyolbrzymiamy niebezpieczeństwa płynące z dzikiej przyrody, bo poza tym nie mamy czego się obawiać. Może nasz archaiczny system instynktów musi po prostu odreagować na czymś „niebezpiecznym"?

W wypadku dzików sprawa może wyglądać nieco inaczej, gdy mają warchlaki. Pewien znajomy z Berlina-Dahlem opowiadał mi, że zwierząt nie dało się wypłoszyć z ogrodu nawet głośnym klaskaniem – więcej nie można zrobić.

Kania, duży ptak drapieżny, jest kolejnym gatunkiem, który szuka bliskości ludzi, i zdążyła się już nawet wyspecjalizować w konkretnych ich typach. Kiedyś te ptaki ścigano i polowano na nie, ale odkąd znalazły się pod ochroną, chętnie trzymają się ludzi. Przynajmniej tych, którzy mają traktor. Gdy latem kosi się łąki, kanie czerpią korzyści z pracy rolników. A to dlatego, że ciężkie maszyny nie tylko ścinają trawę, lecz także przenoszą do lepszego świata myszy i inne drobne zwierzęta. Nie brzmi to najlepiej, nie jest też dobre, jednak dla kani to prawdziwie szczęśliwy traf. Gdy tylko na polu pojawi się traktor i podejmie pracę, także i w Hümmel można zobaczyć te majestatyczne ptaki. Na skrzydłach o rozpiętości 1,60 metra szybują lotem koszącym za maszynami, wypatrując rozjechanych myszy albo zmiażdżonych koźlątek.

Mniej chętnie widziane są kuny, chociaż to naprawdę piękne zwierzęta. Nie poluje się na nie na terenach zabudowanych, zanikł też niemal zwyczaj zastawiania na nie pułapek w lasach i na polach, przestały więc w dużej mierze się nas bać. Wychowaliśmy kiedyś osierocone zwierzątko, które cierpliwie pozwalało się głaskać i wydawało przy tym z siebie coś w rodzaju mruczenia – zupełnie jak zadowolony kot. Na początku maluch dostawał jedzenie z puszki, ale chcąc go przygotować do życia na wolności, dawaliśmy mu także myszy na śniadanie. Już po krótkim czasie małe kunię nabrało takiej dzikości, że mogliśmy je złapać wyłącznie ubrani w rękawice. W końcu otworzyliśmy drzwiczki jego domku, żeby samo mogło zdecydować, kiedy nas opuści. Po trzech nocach było po wszystkim – klatka pozostała pusta, a my nigdy już nie zobaczyliśmy kuny. Ale być może przemyka czasem nocą po naszej działce, bo przecież może przeżyć nawet ponad dziesięć lat.

Całkiem możliwe natomiast, że naszą akcją pomocową wyrządziliśmy sobie niedźwiedzią przysługę. Przed naszą leśniczówką parkują przecież dwa samochody – terenówka do pracy w lesie i samochód osobowy do prywatnego użytku. Pewnego dnia odkryłem kawałek gumowego węża walający się przed maską jeepa. Szybko ją podniosłem i ujrzałem piękną niespodziankę – kuna się napracowała i pogryzła kilka przewodów elektrycznych oraz hydraulicznych. Wizyta w warsztacie mechanicznym okazała się niezbędna.

Ale czemu zwierzak tak szalał w komorze silnika, czemu kunę w ogóle ogarnęła taka niszczycielska furia? Zresztą samo słowo „kuna" jest niejednoznaczne, bo w środkowej Europie żyją dwa gatunki tych zwierząt – kuna leśna, zwana tumakiem, i kuna domowa, czyli kamionka. Kuna leśna jest płochliwym mieszkańcem lasu, który chętnie sypia w dziuplach, a poza tym zwinnie wędruje po gałęziach w koronach drzew. Kuna domowa nie jest natomiast tak bardzo przywiązana do drzew, bo czuje się dobrze również w innym krajobrazie. Mogą to być skały i jaskinie, ale również domy, które ostatecznie są tylko kanciastymi górami. Tam ciekawska kuna rusza na poszukiwanie zdobyczy i bada przy tym wszystko ostrymi ząbkami. Przegryzione przewody elektryczne, zniszczone hydrauliczne, podrapane maty wygłuszające nie świadczą jednak o ciekawości, lecz o nieposkromionej furii. A mali drapieżcy mogą się zrobić wściekli, gdy zwietrzą konkurencję. Kuny znaczą swój rewir wydzielinami gruczołów zapachowych, które każdemu pobratymcowi tej samej płci jasno sygnalizują – „zajęte!". Zazwyczaj koledzy respektują zapachowe granice i zostawiają się wzajem w spokoju. Pod maską silnika jest szalenie przytulnie, więc „wasza" kuna przychodzi regularnie do waszego samochodu. Czasami gromadzi tam nieco prowiantu, tak kiedyś odkryliśmy królicze udko na akumulatorze. Jednak te wizyty szkód nie powodują. Dopiero kiedy zaparkujecie samochód na noc w obcych rejonach, sytuacja robi się poważna.

Schodzą się inne kuny z okolicy i badają obcy obiekt, eksplorują wolną przestrzeń pod maską i zostawiają przy tym ślady zapachowe. A po powrocie samochodu w domowe pielesze wasza kuna nie może wyjść z osłupienia. Musi przyjąć, że jakiś pobratymiec pogwałcił wszelkie reguły gry i bez zaproszenia skorzystał z jej ulubionej dziupli – afront absolutny! Furia zalewa jej oczy, rozjuszona zabiera się więc do usuwania obcych śladów i postanawia wykończyć rywala.

Do odreagowania najlepiej się nadają miękkie przewody hydrauliczne, a tym razem nie są one, jak przy badaniu obiektu, ostrożnie nadgryzane, tylko rozszarpywane z całą mocą. Jaka jest siła wściekłości zwierzęcia, często można się zorientować, oglądając matę wygłuszającą przymocowaną na wewnętrznej stronie maski. Czasami widać tylko ślady pazurów, jednak w wypadku naszego starego opla vectry materiał, gdy zajrzeliśmy, zwisał w strzępach. Do tego najwyraźniej kuna, leżąc na grzbiecie, rzucała się jak wściekła na prawo i lewo i wydarła ostrymi pazurami całe kawały maty. Tak zwane kuny samochodziarze nie tyle więc uwielbiają samochody, ile nienawidzą rywali. Jeżeli odstawiacie samochód wieczorem zawsze w to samo miejsce, nie powinno was spotkać nic złego.

Istnieją zresztą niezliczone sekretne porady, jak odstraszyć zwierzęta. Zawieszane w komorze silnika woreczki z ludzkimi włosami albo kostki toaletowe to przykłady środków działających co najwyżej kilka dni. Przez długi czas próbowaliśmy pieprzu, którym posypywaliśmy silnik. Na długo to nie pomaga w przeciwieństwie do wbudowanego paralizatora, złożonego z płytek. Umieszcza się je w typowych miejscach, którymi zwierzę dostaje się do wnętrza, bo już po pierwszym kontakcie ich unika. Równie dobrze działa ultradźwiękowy odstraszacz reagujący na ruch gwałtownym błyskiem. Urządzenia trwale emitujące ultradźwięki ogłuszają zwierzęta. Ponadto stały hałas jest niezdrowy dla nietoperzy i innych gatunków – stąd też odradzałbym ich używanie.

A jak sprawa wygląda u naszych zwierząt domowych? Wielbią nas jak bogów, przebywają z nami dobrowolnie?

Czy też raczej to strach je przy nas trzyma? Jeżeli stawiamy płot, to pytania są zbędne – krowy, konie czy nasze kozy to w ścisłym rozumieniu tego słowa więźniowie, nawet jeśli się nimi nie czują. Istnieje tu jednak nieprzyjemne porównanie, a odnosi się ono do syndromu sztokholmskiego. Jego odkrywca, amerykański psychiatra Frank Ochberg, badał relację między sprawcą a ofiarami napadu na szwedzki bank w roku 1973. U zakładników rozwinęły się takie uczucia wobec trzydziestodwuletniego porywacza, jakie żywią dzieci do swych matek. Do policji i władz czuli zaś nienawiść. Ten paradoksalny proces jest typowy dla wielu podobnych sytuacji i uchodzi za psychiczny odruch obronny, by przetrwać groźną sytuację w miarę cało i zdrowo[64].

Jeżeli zwierzęta mają podobnie finezyjną duszę (co zakładam), mogłyby chyba rozwijać podobne strategie. Gdy zostaną schwycone, nie okazują nam przecież natychmiast zaufania i trzymają się na dystans. Dopiero po pewnym czasie jesteśmy przyjaźnie witani, gdy kierujemy się w stronę pastwiska i widać nas już z daleka. Brzmi paskudnie? Dla kóz i koni spędzanie całego życia za ogrodzeniem nie jest tym, co natura dla nich przewidziała. Nie wyobrażajmy sobie zbyt wiele – te zwierzęta szybciutko oddaliłyby się w inną stronę, gdyby tylko mogły. Jeżeli jednak faktycznie rozwijają w sobie coś w rodzaju syndromu sztokholmskiego, byłoby to dla nich najlepsze rozwiązanie. W ten sposób mogłyby akceptować swój los i nie uważać go za nieprzyjemny.

Fakt, że nasze kozy i konie chętnie przebywają blisko nas, możemy często stwierdzić podczas prac na pastwisku. Radosne powitanie na nasz widok może oczywiście mieć bezpośredni związek z karmieniem – wtedy bylibyśmy fetowani co najwyżej jako dostarczyciele pożywienia...

W wypadku psów i kotów rzecz wygląda troszeczkę inaczej. Wprawdzie nie na początku znajomości, gdyż i ten związek nie zasadza się na dobrej woli obu stron, skoro bierzemy zwierzęta do domu i tam musimy kilka dni trzymać je w areszcie albo prowadzić na smyczy podczas spacerów – póki się do nas, ludzi, nie przyzwyczają. Nie jest to zatem całkiem niewymuszone przywiązanie, z którym tu mamy do czynienia. Jednak następnie zwracamy psu i kotu wolność i mogłyby one po prostu uciec, czego jednak nie czynią. Jeszcze sympatyczniejsze są rzadkie przypadki, w których bezpańskie osobniki dołączają do człowieka. Te związki nie mają w sobie nic z przymusu i pokazują, że prawdziwe partnerstwo jest możliwe.

Podobne rzeczy dzieją się zresztą nie tylko między człowiekiem a zwierzęciem, lecz także między różnymi gatunkami zwierząt. Takie pary tworzą wilki i kruki, jak opowiadała mi badaczka wilków Elli Radinger. Kruki żyją chętnie w towarzystwie wilczych watah i już małe wilczęta bawią się z czarnymi ptakami. Jeżeli w pobliżu pojawiają się duzi wrogowie w rodzaju niedźwiedzi grizzly, kruki ostrzegają swych czworonożnych przyjaciół. Ci rewanżują się w ten sposób, że dopuszczają opierzonych partnerów do wspólnej konsumpcji zdobyczy.

HIGH SOCIETY

Czytaliście *Wodnikowe Wzgórze**? To wzruszająca powieść o królikach żyjących w angielskim hrabstwie. Opuszczają swe ziemie, szukają nowej ojczyzny i muszą walczyć
z osiadłymi rodzimymi klanami, póki nie zdobędą wreszcie
miejsca dla siebie. W ogrodzie leśniczówki również udzie-
lamy schronienia króliczej rodzinie. Hazel, Emma, Blacky
i Oskar mieszkają w niewielkiej zagrodzie z wybiegiem i za-
bezpieczonymi od wpływów pogody domkami. Tu możemy wygodnie podpatrywać ich życie społeczne. Zdarzają się
kłótnie i swary, o wiele częściej jednak czułości. Zwierzęta
wylizują sobie wzajemnie futro albo w słoneczne dni układają się w cieniu, wtulone w siebie całym ciałem. Naturalnie

---

* Mowa o popularnej książce dla dzieci brytyjskiego pisarza Richarda Adam-
sa (tytuł oryginalny to *Watership Down*), wydanej w 1972 roku. Polski prze-
kład ukazał się w 1982 roku, a jego autorką była Krystyna Szerer.

istnieje pewna hierarchia, ale w wypadku tylko czterech zwierząt wiele nie możemy ustalić.

Zupełnie inaczej niż profesor dr Dietrich von Holst z Uniwersytetu w Bayreuth. Założył eksperymentalną hodowlę królików europejskich na obszarze obejmującym 22 tysiące metrów kwadratowych i obserwował je tam przez dwadzieścia lat. Wielkość populacji stale się wahała, bo choroby i drapieżcy zabierali do osiemdziesięciu procent dojrzałych płciowo zwierząt. Z drugiej strony gryzonie mnożyły się zgodnie z przysłowiem jak króliki, tak że ich pogłowie wzrastało do nawet stu dorosłych osobników. Wahania te nie dotyczyły jednak w równej mierze wszystkich „warstw społecznych". Króliki żyją według ścisłych zasad hierarchii, która działa odrębnie dla każdej płci. Każdorazowo zdobyta pozycja jest zażarcie broniona i nie bez powodu – dominujące zwierzęta skuteczniej się rozmnażają. Nadający ton samce i samice są wprawdzie agresywniejsze, ale ogólnie rzecz biorąc, mniej zestresowane. Brzmi to logicznie, w końcu ten, komu wszyscy wchodzą na głowę, żyje w ciągłej obawie przed następnym atakiem. Kto w hierarchii stoi na szczycie, ten tylko w krótkich chwilach przemocy ma odpowiedni do tego poziom hormonów. Nic dziwnego, że profesor von Holst mógł króliczym władcom przypisać niższą wartość stresu.

Ponadto zwierzęta te utrzymywały wyjątkowo intensywne kontakty społeczne z płcią przeciwną, co również przyczyniało się do odprężenia. Przeciętna długość życia dorosłych zwierząt wynosiła dwa i pół roku, przy czym uwidaczniały się wyraźne różnice w hierarchii. Zwierzęta stojące najniżej na drabinie społecznej umierały często parę tygodni po wejściu w okres dojrzałości płciowej, natomiast członkowie króliczej socjety żyli do siedmiu lat. I nie tylko dlatego, że mieli więcej jedzenia czy rzadziej byli napastowani przez drapieżców, o nie. Decydujące znaczenie miał właśnie mniejszy stres. Życie w mniejszym strachu, a przez to spokojniejsze, oznaczało mniejsze ryzyko zachorowania na choroby jelit, przyczynę śmierci numer jeden wśród króliczych samców.

DOBRO I ZŁO

Zwierzęta nie są „lepszymi ludźmi", potrafią bowiem być naprawdę bardzo agresywne. Nie tylko wobec innych gatunków, nie, również względem siebie, jak dowodzi rzut oka na nasz ogród. Od strony drogi stoją cztery ule z pszczołami, które pilnie latają w teren, by zbierać nektar. To wyczerpujące zajęcie, bądź co bądź wyprodukowanie jednego grama miodu wymaga odwiedzenia od ośmiu do dziesięciu tysięcy kwiatów[65]. Ten słodki ciężar przynoszą jednak nie dla mnie jako pszczelarza, lecz po to, by służył zimą jako zbiornik energii dla drżącego z zimna roju. Jeżeli latem coś idzie niezgodnie z planem i zapasy nie są dostatecznie duże, trzeba rozejrzeć się za wydajniejszymi źródłami. Czasami jednak rozwiązaniem nie są kolorowe kwiaty, lecz okazja, która pojawia się nagle w zgoła innej postaci – słabszego roju w sąsiedztwie. Zwiadowcy testują jego gotowość do obrony, a jeśli ta jest osłabiona wskutek na przykład zakażenia pasożytami albo stosowania insektycydów w rolnictwie, rozlega się sygnał do ataku. U wlotu do ula toczą się zajadłe walki, jednak obrońcy mogą stawiać czoło najeźdźcom tylko przez krótki czas. W którymś momencie przewaga obcych jest tak wielka, że strumień pszczół wdziera się do wnętrza po ciałach ostatnich konających wojowników. Rzucają się one na plastry miodu i brutalnie zdzierają z nich warstwę wosku. W mgnieniu oka napychają sobie wole miodowe i fruną do domu, dodatkowo z dobrą nowiną dla pozostałych członków roju, że tu oto znajduje się pożywienie w nadmiarze. Wokół ula słabego roju rozbrzmiewa głośny szum tysięcy skrzydeł przylatujących i odlatujących szabrowników. Gdy nie ma już nic do zabrania, zapada absolutna cisza. Przeżyłem już niestety takie widowisko w moim ogrodzie, a gdy podniosłem dach ula zabitego roju, zobaczyłem totalne spustoszenie. Porozrywane i połamane plastry, których resztki w postaci okruchów wosku leżały na dole ula. Między nimi kilka martwych pszczół – i tyle.

A agresorzy w żadnym wypadku nie są nasyceni. Nauczyli się, że można o wiele łatwiej żyć, napadając na sąsiadów. Nadarza się okazja, to zabieramy się do następnego roju. Pszczelarz może tylko rozdzielić kłótników, ustawiając oba ule w odległości co najmniej kilometra od siebie i tam pozwolić im się uspokoić. W naturze to naturalnie niemożliwe, gra toczy się tak długo, póki silny rój nie trafi na godnego przeciwnika i nie zaczną się wzajem trzymać w szachu.

Podobne gwałtowne reakcje tuż przed zimą znane są zresztą nie tylko pszczołom. Przykładowo niedźwiedzie brunatne nie mogą gdzieś zmagazynować zapasów na sen zimowy, lecz muszą zapewnić sobie warstwę sadła. Jeżeli jesienią jest zbyt mało do jedzenia albo gdy zwierzęta są już starsze i nie potrafią zebrać tyle pożywienia, sytuacja robi się trudna – również dla ludzi. Pewien dokumentalista kręcący filmy poświęcone zwierzętom opowiedział mi ponurą historię swego kolegi po fachu Timothy'ego Treadwella. Uważał się on za przyjaciela niedźwiedzi i zrezygnował z wszelkich środków ostrożności. Pewnego dnia obserwował starego samca grizzly w Parku Narodowym Katmai na Alasce. Ten najwyraźniej nie nabrał jeszcze dostatecznej tuszy na zimną porę roku, przypuszczalnie dlatego, że już nie był taki szybki podczas połowu łososi. W kręgach specjalistów takie zwierzę uchodzi za szczególnie niebezpieczne. Treadwell jak zwykle nie miał ze sobą ani broni, ani gazu pieprzowego. Stary niedźwiedź zaatakował i zabił go. Jego przyjaciółka, która w szoku oglądała to wszystko z bezpośredniej odległości, zaczęła krzyczeć. Ten „predator-call" (okrzyk strachu wydawany przez ofiarę drapieżnika, który wyzwala u niego instynkt myśliwski) stał się zapewne znakiem dla niego, że tu oto jest jeszcze coś do zgarnięcia, i ostatecznie również kobieta padła ofiarą głodnego niedźwiedzia. Znaleziono ją później zagrzebaną w pobliżu namiotu. Ostatnie minuty pary dlatego potrafimy tak dokładnie zrelacjonować bo zachowało się nagranie dźwiękowe. Kamera filmowa była włączona, ponieważ Treadwell chciał pierwotnie sfilmować starego samca. Wprawdzie nie zdjął pokrywki z obiektywu, ale odgłosy tak czy owak nagrały się dobrze.

Wróćmy do zwierzęcych wojen. O wojnach w rozumieniu ludzkich porachunków można mówić tylko w odniesieniu do tych gatunków, które żyją w dużych związkach społecznych. W naszych szerokościach będą to klany pszczół, os i mrówek, urządzające podobne łupieżcze krucjaty, co roje w naszym ogrodzie. Jeżeli zaś tylko pojedyncze indywidua skaczą sobie do gardeł, mówimy o walkach, jakie występują u wielu samców ptaków czy ssaków.

Czy wobec tego zwierzęta mogą być złe i bez serca? Czasami można odnieść takie wrażenie. W moim biurze są dwa okna narożne, z których widzę osiemdziesięcioletnią brzozę rosnącą przed leśniczówką. Stare drzewo (brzozy nie dożywają więcej niż setki) jest już nadgryzione zębem czasu czy raczej dzięcioła. Na wysokości pięciu metrów znajduje się naturalna dziupla lęgowa, którą przez lata wykorzystywały zmieniające się gatunki ptaków. Po dzięciole wprowadziły się na kilka lat kowaliki zwyczajne, a potem któregoś dnia szpaki. Nakrapiane ptaki zaczęły z powodzeniem wychowywać młode. Pewnego dnia usłyszałem straszną awanturę, a wyjrzawszy przez okno, zobaczyłem srokę, która w kółko podlatywała do drzewa. Nagle przypadła do wlotu dziupli i wyciągnęła szpaczę. Upuściła je na ziemię i zaczęła zadziobywać. Odruchowo rzuciłem wszystko i wybiegłem z biura. Sroka odleciała parę metrów i porzuciła zdobycz. Młode szpaczę było kompletnie w szoku, ale nie zdążyło jeszcze odnieść poważniejszych ran. Przyniosłem drabinę i ostrożnie włożyłem je z powrotem do gniazda. O ile mogłem obserwować, atak się nie powtórzył i ptaszek mógł razem ze swym rodzeństwem wystartować w życie.

Jednak cała historia chyba nie rozegrała się prawidłowo, i to przeze mnie. Bo jakim prawem ingerowałem w to zajście? No dobrze, żal mi się zrobiło małego szpaczka i nie byłem w stanie się przyglądać, jak ginie. Jednak czy ze sroczego punktu widzenia nie był on po prostu kawałkiem mięsa, pilnie potrzebnym do wyżywienia srocząt? A co, jeśli właśnie z tego powodu jedno z piskląt umarło z głodu? W tamtej chwili, kiedy sroka wyszarpnęła szpaczę z gniazda, uważałem ją za złą. Ale czy naprawdę taka była? Co to w ogóle znaczy – zły? Czy taka cecha może zależeć od punktu widzenia? Jeśli tak, to z punktu widzenia sroki ja byłem łajdakiem, który przeszkodził matce lub ojcu w upolowaniu zdobyczy. Zgodnie z zasadami ich gatunku piękny, biało--czarny ptak zachował się absolutnie nienagannie. Jednak ja też jestem raczej typowym przedstawicielem mego gatunku, bo chyba większość obserwatorów na moim miejscu odczułaby współczucie.

A jak by to było, gdyby w konflikt uwikłane były tylko zwierzęta tego samego gatunku? Coś takiego nie jest niespotykane w naturze, jak dowodzi zerknięcie choćby na niedźwiedzie. W tym wypadku chodzi o samce, które mogą stać się śmiertelnym zagrożeniem dla młodych zwierząt. Gdy zbliża się okres godowy, niedźwiedzie samce szukają gotowych do zbliżenia samic. Niedźwiedzie matki z niedźwiadkami u boku nie mają jednak na to ochoty, więc samce często załatwiają rzecz błyskawicznie. Mordują potomstwo i niedługo później matki są znowu gotowe do następnej ciąży – reakcja obronna natury. Niedźwiedzice wiedzą o tym i dlatego próbują zachować bezpieczny dystans od potencjalnych wielbicieli. Inną strategią jest kopulowanie z jak największą liczbą samców. Wówczas każdy z nich myśli, że jest ojcem pociesznych maluchów, i zostawia w przyszłości matkę z dziećmi w spokoju. To, że takie zachowanie jest rzeczywiście strategią obronną samic, nie zaś czystą rozrywką seksualną, odkryli naukowcy z Uniwersytetu Wiedeńskiego.

Przez dwadzieścia lat obserwowali niedźwiedzie w Skandynawii i stwierdzili opisane zachowanie przede wszystkim u tych populacji, w których ofiarą takich ataków padało wyjątkowo wiele młodych[66].

Czy więc niedźwiedzie samce są złe? Co to w ogóle znaczy? Słownik Dudena definiuje pojęcie „zły" jako „niedobry, naganny moralnie", dobitniej można by powiedzieć, że za danym czynem musiałaby stać wola naruszenia moralności na niekorzyść innych. Zarówno sroka, jak i niedźwiedź nie robią tego, gdyż ich działania zaliczają się do normalnych zachowań obu gatunków.

Nienormalne natomiast było zachowanie białych królików, jakie sobie kiedyś sprawiliśmy. Chcieliśmy przestawić się z typowych na wsi wielorasowców na zwierzęta czystej rasy i pojechaliśmy parę wiosek dalej, by obejrzeć sobie „wiedeńskie białe". Zwierzęta miały mięciutkie futro i zachwycające niebieskie oczy – po prostu musieliśmy nabyć małą grupkę. W leśniczówce dostały obszerny wybieg, jednak sielanka trwała ledwie parę tygodni. Pewnego dnia wszedłem do królikarni i zobaczyłem na ziemi kupkę nieszczęścia. Była to samiczka, której uszy zostały tak mocno przecięte, że wisiały jak szmaty. Było nam okropnie przykro i myśleliśmy, że doszło do gwałtownych walk o miejsce w stadzie. W ciągu kolejnych dni pojawiało się jednak coraz więcej towarzyszy niedoli z rozciętymi uszami, a nasze podejrzenia za sprawą obserwacji przerodziły się w pewność – sprawczynią była jedna z samic, która ostrymi jak noże pazurami przednich łap zadawała innym brutalne rany. Logiczne, że bezwzględna dama była jedyną, która jeszcze kicała po okolicy z nietkniętymi uszami. Zresztą niezbyt długo,

ponieważ – niech będzie nam wybaczone – z miejsca wylądowała w garnku.

Czy więc ten królik był zły? Myślę, że tak, bo jego zachowanie nie było ani typowe dla gatunku, ani też uzasadnione moralnie. I tkwił w nim również zamiar złego czynu, bo
koniec końców zwierzę samo podjęło aktywne działanie, nie
będąc do niego motywowane przez inne zwierzęta. Można
by tu wysunąć zarzut, że królik być może był straumaty-
zowany, a powodem jego zaburzeń było straszne przeżycie,
którego mógł zaznać w młodości. Zapewne, tylko czy nie
jest to również przypadek niemal wszystkich złoczyńców
wśród ludzi? Każde złe działanie da się, jeśli tylko dostatecznie dokładnie będziemy drążyć sprawę, poddać analizie,
aż do osiągnięcia takiego punktu, w którym stanie się ono
uzasadnione, a tym samym wybaczalne. Pozwólcie mi dla
uproszczenia przyłożyć do człowieka i zwierzęcia tę samą
miarę – istniejącą przynajmniej w zasadzie wolną wolę podejmowania decyzji. Bardzo wiele zwierząt ma ją również.

W OBJĘCIACH MORFEUSZA

Prawdziwe lato kojarzy mi się nieodłącznie z jerzykami. Przypominają jaskółki, jednak są od nich o wiele większe, a przede wszystkim szybsze. Przeraźliwie krzycząc, śmigają w imponującym tempie w pościgu za owadami albo po prostu dla zabawy między wieżowcami w miastach. W przeciwieństwie do innych gatunków ptaków jerzyki spędzają prawie całe życie w powietrzu. Tak dobrze dostosowały się do życia nad ziemią, że ich nóżki niemal zanikły, a maleńkie stópki nadają się tylko do wczepiania w podłoże. Naturalnie i jerzyki muszą składać jaja, a ich gniazda budowane w skałach lub szczelinach murów są tak skonstruowane, że mogą z nich łatwo wystartować do lotu. Pominąwszy lęgi, ptaki załatwiają wszystkie swe pozostałe potrzeby w locie. Nawet kopulacja odbywa się wysoko na niebie, gdzie właściwy akt również jerzyki przyprawia o zawrót głowy. Poza tym samczyk, uczepiony samiczki pazurami, nie poprawia zasadniczo jej własności lotnych, przez co często takie pary niebezpiecznie koziołkują i muszą się w porę rozdzielić, żeby się nie roztrzaskać.

Jednakże chciałem wam przedstawić jerzyka z racji innej osobliwości, a mianowicie tego, jak śpi. Spać musi większość żywych stworzeń (nawet drzewa), a ptaki lądują w tym celu w jakimś bezpiecznym miejscu. Przykładowo nasze kury udają się grzecznie o zmierzchu do kurnika, wspinają po drabince i sadowią na grzędzie. Tam moszczą się wygodnie, wtulając jedna w drugą, i nocą nie muszą się obawiać, że spadną – jak u większości ptaków przy siadaniu ścięgna kurczą się im w taki sposób, że automatycznie zginają im się palce. Z tego powodu kury mogą bez wysiłku wczepić się w grzędę. A podobnie jak wszystkie ptaki kury również śnią i – tak samo jak my – ruszałyby się we śnie zgodnie z nocnym kinem w głowie. Tyle że mogłoby to pociągnąć za sobą upadek z grzędy (bądź w wypadku ptaków żyjących na swobodzie – z drzewa). Dlatego odpowiednie mięśnie są z miejsca wyłączane, a zwierzęta spędzają nocne godziny z głową wetkniętą spokojnie w skrzydła.

A jerzyki? One nigdy nie siadają na grzędzie i nie pozostają na ziemi czy w gnieździe ani sekundy dłużej ponad potrzebę. Jeśli chcą spać, czynią to w locie. Jest to naturalnie nad wyraz ryzykowne – bo ptaki nie mogą wtedy zachować nad sobą kontroli. Wobec czego wzbijają się po prostu kilka kilometrów w niebo, żeby zyskać należytą odległość od ziemi. Po czym zniżają się lotem spiralnym, który pozwala im powoli opadać. I teraz mogą w spokoju zdrzemnąć się parę chwil. Na więcej czasu nie ma, bo w końcu muszą ocknąć się w porę, zanim zrobi się niebezpiecznie i dachy pierwszych domów zanadto się przybliżą. Czy w taki sposób zwierzęta mogą w ogóle wypocząć? Z pewnością, gdyż sen oznacza dla każdego gatunku coś innego. Wspólnym aspektem jest jedynie wyłączenie albo wytłumienie wpływów zewnętrznych, by mózg mógł bez przeszkód zrealizować wewnętrzne procesy. Ludzki sen też nie jest przecież monotonną rozrywką, jak dowodzi istnienie różnych faz snu o różnorodnej głębi. Nasze konie na przykład nie potrzebują dużo snu głębokiego. Często starcza im kilka minut, podczas których leżą na boku, jakby ktoś je zastrzelił. Ale są tak pogrążone w królestwie snów, że nie są niczego świadome, a nogi im drgają, jakby galopowały po wyimaginowanej prerii. Poza tym drzemią podobnie jak jerzyki po kilka godzin dziennie.

To, że zwierzęta śpią, można jednak uważać za truizm. Nawet małe muszki owocowe muszą to robić, a we śnie wierzgają łapkami niczym konie. Ale naprawdę intrygujące jest tu pytanie, jak to się dzieje, a zwłaszcza – o czym śnią nasi zwierzęcy krewniacy?

U ludzi nocne podróże mentalne odbywają się podczas tak zwanej fazy REM. To skrót od angielskiego „rapid eye movement" – szybko ruszamy oczami przy zamkniętych powiekach, a jeśli ktoś nas w tym momencie obudzi, to prawie zawsze przypomnimy sobie, o czym śniliśmy. U wielu gatunków zwierząt występują takie nocne ruchy gałki ocznej, i to tym silniej, im większy jest ich mózg w proporcji do ciała. Ale ponieważ zwierzęta nie mogą nam niczego opowiedzieć, musimy w inny sposób szukać dowodów, by zrozumieć, co dzieje się w ich głowach. W tym celu uczeni z Instytutu Techniki Massachusetts koło Bostonu badali szczury.

Mierzyli czynności mózgu zwierząt, gdy te z zapałem szukały pożywienia w labiryncie. Na zakończenie porównano wyniki z tym, co wykazały urządzenia pomiarowe podczas snu gryzoni. Paralele były tak jednoznaczne, że badacze na podstawie danych mogli nawet od razu zobaczyć, w której części labiryntu znajdowały się akurat śpiące szczury[67].

Również w wypadku kotów udało się już w 1967 roku dokonać pośrednio podobnych odkryć. Naukowiec Michel Jouvet z Uniwersytetu Lyońskiego uniemożliwiał zwierzętom rozluźnienie mięśni podczas snu. Normalnie organizm również u nas wyłącza mimowolne ruchy mięśni, by zapobiec temu, że we śnie zaczniemy się rzucać na prawo i lewo albo wręcz z zamkniętymi oczami ruszymy w sypialni do biegu. Bo ten, kto śpi, potrzebuje takiego mechanizmu wyłączania, a jeśli się go zablokuje, można przyglądać się z boku, co akurat przeżywa badany obiekt. Jouvet widział, że poddane doświadczeniu koty robiły koci grzbiet, syczały albo biegały – pogrążone w głębokim śnie. Od tej pory możemy uważać za dowiedzione, że koty mogą śnić[68].

Jednak jak wygląda ta sprawa, gdy w królestwie zwierząt odejdziemy bardzo daleko od naszego pnia genealogicznego, porzucimy ssaki i zaczniemy się przyglądać owadom? Czy w tak maleńkich łebkach może dziać się coś podobnego, czy porównywalnie małe komóreczki muszego mózgu są w stanie produkować we śnie obrazy? Obecnie rzeczywiście pojawiły się poszlaki wskazujące, że tak maciupeńkie zlepki komórek potrafią więcej, niż byliśmy skłonni przyznać do tej pory. Jak już wspomniano, tuż przed zaśnięciem muszki owocowe wierzgają łapkami, a ich mózg jest wyjątkowo aktywny w tej fazie snu – kolejna paralela ze ssakami. Czy zatem muszki owocowe mogą śnić? Reakcje cielesne na to wskazują, jednak jak dotąd możemy tylko zgadywać, jakie to obrazy rozbłyskują w ich łepkach (może wizje miękkich owoców?)[69].

ZWIERZĘCY JASNOWIDZE

Muszę przyznać, że dawniej zawsze byłem nieco sceptyczny, gdy mowa była o szóstym zmyśle zwierząt. To prawda, wiele gatunków ma poszczególne zmysły lepiej rozwinięte – ale czy naprawdę aż w takim stopniu, by pozwalały na dostrzeganie praktycznie niewyczuwalnych oznak nadciągających katastrof przyrodniczych? Jednak zmieniłem zdanie i uważam, że ów szósty zmysł jest niezbędnym narzędziem do przetrwania na swobodzie, narzędziem, którego my, ludzie, wprawdzie nie straciliśmy zupełnie w sztucznym środowisku naszej cywilizacji, ale które z pewnością tkwi gdzieś głęboko pogrzebane.

To słowo jest tu kluczowe – któż chciałby dać się żywcem pogrzebać przy wybuchu wulkanu? Kozy żywią najwyraźniej wyjątkowy lęk przed takim losem, przynajmniej jeśli odpowiednio zinterpretować pewne ich uzdolnienia. Wytropił je Martin Wikelski, uczony z Instytutu im. Maxa Plancka, który wyposażył w nadajniki GPS kozie stadko pod sycylijskim wulkanem Etną. I rzeczywiście w niektóre dni można było stwierdzić ich nagły niepokój, jak gdyby kozom zagrażał pies. Biegały tu i tam lub próbowały uciekać między krzewy i drzewa. I zawsze kilka godzin później następował większy wybuch wulkanu. Przy mniejszych erupcjach nie stwierdzano takich zachowań wczesnego ostrzegania – bo i czemuż miałyby służyć?

Jak kozy orientowały się, że nadchodzi wybuch? Badacze nie znają jeszcze niestety ostatecznej odpowiedzi. Przypuszczają, że chodzi o wydobywające się z ziemi gazy, które poprzedzają wybuch[70].

Nasze rodzime zwierzęta leśne również potrafią rozpoznawać takie niebezpieczeństwa. W Europie Środkowej wulkanizm jest żywym tematem, jak można dostrzec w mojej małej ojczyźnie, górach Eifel. Głowy podnosi tu wiele starych wulkanów, wśród których jest także kilka młodych – jak ten z jeziora Laacher See. Młody w tym kontekście oznacza, że ostatni raz wybuchł przed mniej więcej trzynastoma tysiącami lat i może to zrobić ponownie o dowolnej porze. Wtedy w powietrze wyleciało szesnaście kilometrów sześciennych żwiru i popiołu, zasypało osady epoki kamiennej i w biały dzień zasnuło mrokiem niebo aż do Szwecji. Jest to więc niebezpieczeństwo, które należy poważnie traktować, nawet jeśli prawdopodobieństwo, że współcześni ludzie mieliby przeżyć coś takiego, uważa się za niewielkie.

U nas w centrum zainteresowania uczonych lub, mówiąc precyzyjniej, kilku uczonych znalazły się mrówki leśne. Mowa o zespole profesora Ulricha Schreibera z Uniwersytetu Duisburg-Essen, który włożył w te badania ogrom wysiłku.

W górach Eifel oznaczono na mapie ponad trzy tysiące mrowisk. Ich układ wykazywał jednoznaczny związek z przebiegiem szczelin w skorupie ziemskiej, której aktywność powoduje wybuchy wulkanów i trzęsienia ziemi. W punktach skrzyżowań takich linii zaburzeń stwierdzono skupiska wielu mrowisk. Tędy z ziemi wydobywają się gazy, których skład zdecydowanie się różni od składu okolicznego powietrza. Mrówki rudnice uwielbiają to i preferują budowę swych domostw w takich rejonach[71]. Za każdym razem przychodzi mi to do głowy, gdy widzę w lesie tak piękną konstrukcję pełną krzątających się owadów. Również w wypadku mrówek nikt do dzisiaj nie wie, dlaczego lubią akurat te miejsca. Tak czy owak jest jasne, że mogą wywęszyć minimalne różnice w stężeniu gazu, podobnie jak kozy. Istnieją niezliczone doniesienia z całego świata o podobnych zjawiskach.

Czy zatem zwierzęta są zasadniczo wrażliwsze od człowieka? Naturalnie jest wiele gatunków, które są zdecydowanie lepsze w poszczególnych dyscyplinach. Orły lepiej widzą, psy mają lepszy niż my słuch i węch. Jednak w sumie nasze zmysły są na tyle dobre, że nie różnimy się zbytnio od przeciętnej normy dla innych gatunków. Dlaczego więc w przeciwieństwie do zwierząt dostrzegamy tak niewiele zmian w otoczeniu? Myślę, że powodem jest zalew bodźców w naszym współczesnym środowisku życia domowego i pracy. Przykładowo zapachy nie pochodzą w większej części z lasów i pól, lecz z rur wydechowych, wyziewów drukarek w biurach albo perfum i dezodorantów na naszych własnych ciałach. Permanentny zalew sztucznych aromatów przesłania zapachy naturalne. Na wsi tylko wówczas wygląda to inaczej, gdy wiele czasu spędzamy na łonie natury. U nas także można wyczuć z pięćdziesięciu metrów pojedynczy motorower, który dymiąc, wypuszcza z siebie śmierdzące spaliny dwusuwu. Gdy pada, leśne powietrze jest natychmiast przesycone zapachem grzybów, co wskazuje, że za parę dni szykują się bogate zbiory.

Podobnie rzecz się ma z orlim wzrokiem. Kto za młodu mnóstwo czasu spędza przed komputerem albo surfuje na smartfonie, ten prędzej stanie się krótkowzroczny niż dzieci, które przeważnie spędzają czas na dworze. Krótkowzroczność zwłaszcza w młodszym pokoleniu wzrosła do blisko pięćdziesięciu procent wśród osób między dwudziestym piątym a dwudziestym dziewiątym rokiem życia, jak niedawno wykazało badanie Uniwersytetu w Moguncji[72]. Czyżbyśmy tracili zmysł orientacji? Na szczęście istnieją okulary, ale stale pogarszająca się naturalna ostrość wzroku wydaje mi się symptomatyczna. Z natury rzeczy moglibyśmy być równie wrażliwi na zjawiska przyrodnicze jak zwierzęta. Jednak współczesny styl życia przytępia nam jeden zmysł po drugim. Moje uszy też nie są już najlepsze, parę zakresów częstotliwości padło ofiarą niegdysiejszych wizyt na dyskotekach lub ćwiczeń strzeleckich. Ale ogólnie jest jeszcze nadzieja.

Tego, co się zepsuło pod względem organicznym, nie da się już naprawić, jednak nasz mózg potrafi bardzo wiele zrekompensować. Pięknym przykładem jest tu dla mnie doroczny przelot żurawi. Już z daleka mogę usłyszeć te ptaki nawet przez dobrze izolowane okna, bo często cieszyłem się na przybycie tych zwiastunów zmieniających się pór roku. Wystarczy drobna sugestia, wręcz przeczucie, i już stoję na progu i widzę nadlatujący z oddali klucz żurawi. Te uwagi jak najbardziej mają związek z tematem niniejszego rozdziału, czyli z systemem wczesnego ostrzegania u zwierząt. Przeciągające żurawie wskazują mianowicie pogodę w dalekich stronach, bo chętnie lecą, wykorzystując dogodny wiatr w plecy. Jeżeli więc jesienią przylatują z północy, zapowiada to lodowaty wiatr północny, który zapewne przyniesie ze sobą pierwszy śnieg. Wiosną masowe pojawienie się tych ptaków jest natomiast znakiem rozpoczęcia się sezonu lęgowego, ponieważ na zimowiskach w Hiszpanii wieje ku północy ciepły południowy wiatr, który podnosi tu temperatury.

Nawet aktualną temperaturę można z grubsza oszacować za pomocą słuchu. Brzmi wprawdzie osobliwie, ale w rzeczywistości to całkiem prosta sprawa. W jej ocenie pomagają bowiem szarańcze i świerszcze. Zmiennocieplne zwierzęta podejmują swój koncert dopiero od 12°C, a im wyższa temperatura, tym szybsze cykanie. Można by tu wysunąć zarzut, że przecież temperaturę znacznie lepiej da się ocenić za pomocą własnej skóry. To prawda, jednak najpóźniej w momencie, gdy podejmiemy jakąś aktywność fizyczną, pojawią się problemy związane z wyprodukowanym dodatkowo ciepłem wewnętrznym, co zafałszuje nasz osąd.

Oczy można wytrenować podobnie jak uszy. Kłopoty ze wzrokiem można skorygować okularami, ale ważniejsza jest reakcja mózgu, który – podobnie jak w wypadku słuchu – wyostrza swą wrażliwość na określone zmiany. Dzisiaj dostrzegam sarny kątem oka, po prostu jako wyczuwane odstępstwo od normalnego stanu zieleni drzew. Również opanowane przez korniki świerki rzucają się w oczy wskutek minimalnych zmian koloru, zanim dostrzeże się wyraźne różnice w porównaniu ze zdrowymi koronami sąsiednich drzew. Odczuwane na twarzy zmiany kierunku wiatru, który zapowiada zmianę pogody, drobne kropelki deszczu sygnalizujące cienką warstwę chmur (a zatem nie będzie ulewy), minimalne anomalie zapachowe, które wskazują na gnijącą gdzieś w oddali padlinę – wszystko to razem składa się na obraz układanki, z którego stale się orientuję na bieżąco w stanie otoczenia i zagrożeń, wcale się nad tym poważnie nie zastanawiając. Jeżeli należycie do wrażliwej na pogodę grupy ludzi, sami potraficie przepowiadać pogodę na długo, zanim na błękitnym niebie pojawią się pierwsze chmury. Nauka nie jest wprawdzie jeszcze zgodna co do tego, skąd się bierze ta wrażliwość, czy chodzi tu może o zmieniającą się przewodność błon komórkowych, ale na czymkolwiek by ona polegała, grunt, że działa. O ileż więc bardziej wnikliwie potrafią czytać mowę lasów i pól ludy pierwotne, które na co dzień obcują z tymi wszystkimi bodźcami? W moim wypadku chodzi przecież tylko o część dnia, kiedy to moje zmysły poddawane są tego typu treningowi. A w wypadku zwierząt to całe ich życie, nic dziwnego, że o tyle lepiej potrafią przewidzieć naturalne niebezpieczeństwa.

Jeżeli zwierzęta potrafią być tak wrażliwe, to jak wygląda sprawa przepowiadania pogody? Czy zwierzęta czują, że nadchodzi ostra zima? Tak na przykład w pewnych latach obserwuje się wiewiórki i sójki, jak zagrzebują w ziemi wyjątkowo dużo orzeszków bukowych i żołędzi. Jednak wniosek, że czynią tak mądrze, przewidując konieczność przetrwania długiego i śnieżnego okresu, jest niestety błędny. Zwierzęta po prostu wykorzystują ogromną podaż żywności oferowaną przez drzewa. Buki i dęby kwitną synchronicznie mniej więcej co trzy do pięciu lat. Kwitnienie często następuje po szczególnie trudnym, bo bardzo suchym lecie, czyli podczas najbliższej wiosny. Z błogosławieństwem urodzaju mamy więc do czynienia dopiero po roku i stąd bierze się pilne zbieractwo sójek i wiewiórek. Koniec końców obserwacja tych zachowań może być uznana co najwyżej za „przepowiednię po fakcie" pogody minionego lata – szkoda.

Zwierzętom nie udają się więc długoterminowe prognozy pór roku. Jednak jeśli spojrzymy na krótkoterminowe zmiany pogody, to tu już rzecz ma się zupełnie inaczej. Jednym z moich ulubionych gatunków ptaków pod tym względem jest zięba zwyczajna. Ptaki te chętnie żyją w starych bukowych lasach*, ale także w lasach mieszanych. Tam samczyk wyśpiewuje zakończoną trelem piękną melodię. Jej rytm odpowiada ułatwiającej jego zapamiętanie rymowance, której uczyłem się na studiach: „Bin bin bin ich nicht ein schöner Feldmarschall", czyli: „Czy czy czy nie piękny ze mnie feldmarszałek"**. Śpiew ten można zresztą usłyszeć jedynie przy pięknej pogodzie. Gdy nadciągają ciemne chmury czy wręcz zaczyna padać, słychać tylko jednostajne „rääätsch" (po polsku „writ"). Zięba reaguje śpiewem na naruszenia ustalonego porządku, jednak nie na pojawianie się ludzi, co sam mogę stwierdzić podczas codziennych obchodów rewiru. Znikanie słońca za piętrzącymi się groźnie burzowymi chmurami jest natomiast dla niej wyraźnie niepokojące.

A jaką korzyść odnoszą inne zięby z tego osobnika, który jako pierwszy spostrzega zmianę i wszystkich ostrzega?

---

* W niemieckiej nazwie zięby „Buchfink" widać to od razu – „Buch" oznacza buka.
** Polska zięba śpiewa natomiast „cze-kaj – cze-kaj – coś zrobiła – a widzisz?". Za: https://pl.wikipedia.org/wiki/Zi%C4%99ba_zwyczajna, dostęp: 4 I 2017.

Czy same nie mogą spojrzeć w górę i zobaczyć zapowiedzi brzydkiej pogody? Nie pod gęstym okapem z liści starego lasu bukowego – tam można co najwyżej zauważyć, że robi się trochę ciemniej. Nadciągające niebezpieczeństwo można dostrzec tylko w prześwicie, tam gdzie zwalił się stary olbrzym i wzrok swobodnie sięga nieba, albo na samym szczycie koron drzew. A ponieważ nie wszystkie zięby mają taki „ogląd" na swych stanowiskach, ostrzeżenia są rozsądne.

ZWIERZĘTA TEŻ SIĘ STARZEJĄ

Powszechnie wiadomo, że i zwierzętom w miarę posuwania się w latach zaczyna dokuczać ta czy inna dolegliwość. Ale co sobie myślą, gdy powoli stają się niedołężne? Czy zdają sobie sprawę ze zmniejszającej się sprawności ich ciał? To jest pytanie, na które nie da się raczej udzielić wprost naukowej odpowiedzi, jednak możemy raz jeszcze zbliżyć się do rozwiązania problemu za pomocą obserwacji. Jeżeli idzie o konie, to wydaje się, że faktycznie w podeszłym wieku dochodzi u nich do pojawiania się licznych lęków i nie dzieje się tak bez powodu. Jak już mówiłem, zwierzęta te zwykle świetnie śpią na stojąco, w tym celu mają nawet specjalnie ukształtowany staw kolanowy. Przy odciążeniu klinuje się i w ten sposób zapobiega złożeniu się rozluźnionej nogi. Ciężar konia przenoszony jest na zmianę na trwale zabezpieczoną nogę, podczas gdy druga opiera się na ziemi tylko czubkiem kopyta. Przednie nogi dźwigają przy tym mniejszy ciężar i obie pozostają proste. W ten sposób koń może godzinami drzemać, ale nie jest to porządny sen. Zwierzęta potrzebują prawdziwego snu – dokładnie tak samo jak my – by pozostać zdrowe i sprawne. W tym celu muszą się położyć i do tego na boku z wyciągniętymi nogami. Wtedy odpływają w krainę marzeń, z podwyższoną aktywnością mózgu i poruszającymi się kopytami. Czasami porusza się im też dolna warga, zupełnie jakby zwierzęta we śnie rżały lub chciały jeść. Gdy drzemka się skończy, konie muszą znowu wstać. Przy wadze około pięciuset kilogramów i stosunkowo długich nogach to wyczerpujący wysiłek. Najpierw z impetem dźwigają się na przednie nogi, biorą zamach i podnoszą tylną część ciała.

Dla starych koni wykonywanie tych zamachów i dźwignięć jest niemal niemożliwe, można więc zaobserwować, jak zwierzęta po prostu boją się położyć. Nawet jeśli chętnie całkowicie by się odprężyły, leżąc na boku, to z ostrożności wolą pozostać w pozycji stojącej i zadowalają się przysypianiem. Nie jest to z pewnością dla nich dobre, bo bez snu zapasy ich sił kurczą się jeszcze szybciej. Jednak zwierzęta najwyraźniej świetnie wiedzą, że narażają się na śmiertelne niebezpieczeństwo – kto nie potrafi wstać, ten w niedługim czasie zginie, bo zawiodą go organy wewnętrzne (albo zjawi się drapieżca). Trudności ze wstawaniem narastają powoli i w takim samym tempie ulegają skróceniu prawdziwe fazy snu. U obu naszych klaczy także widzimy, że starszą z nich, dwudziestotrzyletnią, znacznie rzadziej można napotkać leżącą niż jej o trzy lata młodszą towarzyszkę. W którymś momencie strach przeważy – i koniec ze snem na resztę życia.

U starych łani również widać zmiany. Oprócz zaniku mięśni, który powoduje, że zwierzęta wyglądają na bardziej kościste, zmienia się także ich zachowanie. Pozwolę tu sobie na sformułowanie wprost – zwierzęta stają się ponure i kłótliwe. Nie ma w tym jednak nic dziwnego, bo może kiedyś przewodziły stadu i były podziwianymi królowymi. Wprawdzie i w podeszłym wieku zachodzą w ciążę, ale cielęta, które przychodzą na świat, pozostają słabe. Stare łanie o zębach całkowicie zeszlifowanych wskutek wieloletniego używania nie potrafią już dobrze rozdrobnić pokarmu i często cierpią głód z tego powodu. Stąd też mizerna jest ilość mleka wytwarzanego w ich wymionach i zawartość w nim tłuszczu, potomstwo więc także głoduje. Nie dziwi zatem, że takie cielaki wyjątkowo często padają ofiarą chorób lub mięsożerców, a to z kolei działa negatywnie, jak już wcześniej opisano, na pozycję w hierarchii sędziwych łań. Czy w takich warunkach również nie mielibyście stale złego humoru?

Innym tematem, na który nie znalazłem prawie żadnych lektur, jest demencja u zwierząt. Przynajmniej zwierzęta domowe żyją dzisiaj wyraźnie dłużej niż kiedyś, bo opieka medyczna nad nimi dotrzymuje kroku naszej. Maxi, nasza suka rasy mały münsterländer, jest tego dobrym przykładem. Zawsze miała optymalną ilość pożywienia, była szczepiona, w razie infekcji zawożona i leczona u weterynarza, gdzie równocześnie usuwano jej kamień nazębny, by zachować zdrowe uzębienie. W wieku dwunastu lat Maxi pewnego dnia zaczęła się zataczać i diagnoza nastąpiła szybko – udar. Mocno to nami wstrząsnęło, żywa jak srebro suka stanęła nagle u kresu życia. Jednak odpowiednie tabletki i zastrzyki prędko podziałały i Maxi wróciła do zdrowia. Przeszła odpowiednio długi okres starości, kiedy powoli słabły jej siły i zmysły. W pewnym momencie po prostu zamilkła – szczekanie stało się już na zawsze *passé*, co nieszczególnie nam przeszkadzało, wręcz przeciwnie. W dodatku pożegnała się też ze słuchem, a to już było uciążliwsze, bo odtąd mogliśmy się porozumiewać tylko za pomocą wzroku. Ale bądź co bądź pies był nadal istotą, która cieszyła się z życia. Jednak w ostatnim roku zaczęła powoli tracić władze umysłowe. Doszło wreszcie do tego, że Maxi nas już nie poznawała. Ponadto godzinami kręciła się w koszyku, jakby chciała się położyć, ale nie czyniła tego. Gdy prawie już nic nie jadła, bardzo mocno schudła i pojawiły się wrzody rakowe, z ciężkim sercem pozwoliliśmy, by weterynarz uwolnił Maxi od cierpienia.

Również jej następca, cocker-spaniel Barry, przeszedł w wieku piętnastu lat podobną drogę. Oprócz utraty zdolności umysłowych zapadł dodatkowo na inkontynencję, co kosztowało nas mnóstwo pracy i pianki czyszczącej do dywanów. Dzisiaj na „zespół zaburzeń poznawczych", jak brzmi termin fachowy, są już odpowiednie leki i terapie.

Sądzę, że przynajmniej wszystkie zwierzęta wyższe może dotknąć los chorego na demencję. Miłośnicy kotów opowiadają podobne historie o swoich pupilach, a naukowcy znaleźli u tych gatunków zwierząt domowych porównywalne złogi i zmiany w mózgu, co u chorych ludzi. Nawet w naszym stadzie mieliśmy dotkniętą demencją kozę, która straciła orientację przestrzenną i pewnego dnia tylko dzięki uporowi naszego syna znaleźliśmy ją w wąwozie strumienia w lesie, gdzie spokojnie leżała.

Obserwacje w naturze są bardzo skąpe, bo cierpiące na demencję zwierzęta stają się łatwym łupem mięsożerców. Oddzielają się od stada, a przez to sygnalizują swą bezbronność. Kto już nie jest sprawny umysłowo, ten zostanie bezlitośnie wyeliminowany. Drapieżców też to naturalnie spotyka, bo nawet jeśli nie padną ofiarą innego zwierzęcia, to będą musieli umrzeć z głodu.

Jak jednak wygląda sytuacja, gdy kres się zbliża, a z umysłem wszystko w jak najlepszym porządku? Czy widać wówczas nadchodzący koniec? Nie tak wiele osób, ale bądź co bądź niektóre potrafią przewidzieć własną śmierć. Czy to, powiedzmy, gdy ludzie są chorzy i są w stanie określić moment swego odejścia z dokładnością niemal co do tygodnia, czy też gdy są starzy i zmęczeni i już po prostu nie chcą żyć dłużej – śmierć nie jest dla nich zaskoczeniem. Z niektórymi zwierzętami dzieje się podobnie. Przykładowo nasze sędziwe kozy odłączały się od stada na krótko przed śmiercią, by w spokoju umrzeć. W momencie odłączenia musiały wiedzieć, że nadeszła już ich pora. Znajdowały sobie odległy zakątek pastwiska albo niewielką otwartą zagrodę, która w ciepłe, letnie dni nie jest przynajmniej w ciągu dnia użytkowana przez inne kozy. Tam kładły się na ziemi i umierały w pokoju.

Skąd mogę o tym wiedzieć? To widać po ułożeniu martwego zwierzęcia. Na przykład nasza ukochana koza Schwänli położyła się wygodnie na brzuchu i podwinęła pod siebie nogi w dogodnej pozycji. W ten sposób kozy zwykle śpią całkowicie odprężone. Jeżeli natomiast zwierzę umiera w męczarniach, ziemia wokół jest zryta od uderzeń wierzgających nóg, a ciało leży na boku. Szyja jest wygięta do tyłu, a język często wystaje z pyska. Po zwierzęciu widać po prostu, że w swoich ostatnich chwilach musiało bardzo cierpieć. Lecz nie nasza Schwänli. Wyraźnie przeczuwała swoją śmierć i spokojnie rozstała się z życiem.

Takie zachowanie nie tylko ułatwia nam pożegnanie, ale ma też zalety z punktu widzenia stada, przynajmniej gdy mowa o dzikich zwierzętach. A to dlatego, że stare, słabe zwierzęta stanowią zagrożenie. Są powolne, a przez to przywabiają drapieżców. Jeżeli się w porę odłączą, zapobiegną porwaniu innych, młodszych członków stada.

OBCE ŚWIATY

Natura często jest przez nas postrzegana jako idylliczna i sielankowa, bo sprawia wrażenie przepełnionej pokojem i harmonią. Kolorowe motyle trzepocą nad łąkami pełnymi kwiecia, białe pnie brzóz wznoszą się ponad krzewami i kołyszą gałęziami na wietrze. Dla nas to faktycznie relaks w czystej formie, między innymi dlatego, że na ludzi nie czyha praktycznie żadne niebezpieczeństwo na otwartej przestrzeni. Jej mieszkańcy są jednak w innej sytuacji i dlatego widzą tę idyllę w zupełnie odmienny sposób. Przyglądając się motylom dziennym i nocnym, widzimy dwie zasadnicze różnice – motyle dzienne są wspaniale kolorowe, jak na przykład rusałka pawik. Nosi swe barwy w formie wielkich „oczu" na skrzydłach, by odstraszać ptaki i innych drapieżników. Ponadto ciało i skrzydła motyla są bardzo słabo owłosione, żeby obraz jasno i czysto oddziaływał na agresora. Motyle nocne są zaś raczej jednobarwne. Do ich ulubionych kolorów zalicza się szarość i brąz, ponieważ przez cały dzień drzemią, przycupnięte na korze i gałęziach drzew, i wyczekują zmierzchu. W tym czasie są ociężałe i łatwo mogłyby paść ofiarą ptaków, które bystrymi oczami dostrzegą każdą różnicę w ubarwieniu. Biada, jeśli kolor skrzydeł ćmy nie pasuje do kory, bo wybrała sobie niewłaściwe drzewo. Nie ma wówczas szans na dożycie kolejnego dnia czy raczej kolejnej nocy.

Chcąc przeżyć, zwierzęta dostosowują się nawet do naszego kulturowo zmienionego świata. Tak jak na przykład krępak nabrzozak, ćma o białych skrzydłach z czarnymi plamkami. Tak dokładnie wygląda kora brzozy, na której chętnie odpoczywa ten owad o rozpiętości skrzydeł wynoszącej pięć centymetrów. Jednak drzewa w Anglii były białe tylko do około 1845 roku. Później na środowisko spadło tyle sadzy wskutek rozwijającego się bujnie przemysłu i spalania węgla, że na korze drzew osiadł czarny, tłusty osad. Znakomicie niegdyś zamaskowane zwierzęta rzucały się teraz wyraźnie w oczy i setkami tysięcy ginęły w ptasich dziobach, poza paroma odmieńcami. Tacy zawsze byli i – analogicznie do czarnych owiec – mieli ciemne ubarwienie skrzydeł, co do tamtej pory oznaczało wyrok śmierci. Teraz jednak czarne egzemplarze wyciągnęły los na loterii, przebiły się i zadbały o to, by w ciągu ledwie paru lat większość krępaków nabrzozaków była czarna. Dopiero wraz z podjęciem działań na rzecz czystości powietrza, uchwalonych ustawowo pod koniec lat sześćdziesiątych, gra znowu zaczęła przebiegać wedle odwrotnych zasad. Brzozy stały się czystsze, a przez to znowu zbielały. A czasopismo „Die Zeit" mogło obwieścić w 1970 roku, że wszędzie znowu widać przeważnie białe motyle[73].

Nocą jednak wszystko wygląda inaczej w dosłownym znaczeniu tego słowa. Kolory nie odgrywają już praktycznie żadnej roli, bo żywiące się owadami ptaki śpią podczas nocnych godzin na gałęziach drzew. Na scenę wkraczają inni myśliwi – nietoperze. Polują one nie tyle za pomocą oczu, ile przede wszystkim ultradźwięków. Wydają wysokie dźwięki i nasłuchują echa odbijającego się od przedmiotów i potencjalnych ofiar. Optyczny kamuflaż nic tu nie pomoże, bo latające ssaki „widzą" przecież uszami. Stąd też trzeba stać się niewidocznym dla słuchu – tylko jak? Jedna z możliwości polega na tym, że dźwięk nie jest odbijany, lecz pochłaniany. Dlatego wiele ciem jest okrytych grubym futrem, w które piski nietoperzy się zaplątują lub też, mówiąc precyzyjnie, odbijają bezładnie we wszystkich kierunkach. W mózgu nietoperza nie rysuje się więc ostro obraz ćmy, lecz tylko rozmyte coś, co równie dobrze mogłoby być kawałkiem kory.

Gołębie także widzą coś zupełnie innego niż my. Wprawdzie również są wzrokowcami, czyli są bardzo mocno zależne od zmysłu widzenia i potrzebują w tym celu światła dziennego. Jednakże obok wielu szczegółów stanowiących część naszego życia wyraźnie dostrzegają one w powietrzu i inne rzeczy. Gołębie widzą wzór, który wskazuje kierunek polaryzacji, czyli kierunek drgań fal świetlnych, a ta polaryzacja ustawiona jest na północ. Gołębie więc przez cały dzień patrzą na kompas – nic dziwnego, że na przykład gołębie pocztowe potrafią się świetnie orientować na ogromnych dystansach i zawsze trafiają do domu[74].

Jeżeli w wypadku nietoperzy uznaliśmy słuch za „zmysł widzenia", to możemy rozszerzyć zasięg również u innych gatunków, by zrozumieć, co czują i w jakim subiektywnie świecie żyją. W wypadku psów nasuwa się więc pytanie, czy ich zmysł wzroku, nieco gorzej wykształcony niż u ludzi, nie jest bardzo silnie wspierany przez zmysły węchu i słuchu. Jeżeli dopiero suma tych wrażeń daje psu pełny obraz środowiska, to nie wiemy, co naprawdę widzi pies, gdy oceniamy tylko jego oczy. Bo zgodnie z tym badaniem pilnie potrzebowałby okularów. Jego soczewki nie potrafią się dobrze wyregulować na różne odległości, tak że pies dopiero wtedy ostro widzi, gdy coś zbliży się na odległość do sześciu metrów. Jeżeli to coś podejdzie bliżej niż mniej więcej pięćdziesiąt centymetrów, znowu staje się nieostre. A wszystkie te obrazy odtwarzane są przez około sto tysięcy włókien nerwów wzrokowych, podczas gdy w naszym oku działa ich 1,3 miliona[75].

Jednak nawet u nas, „zwierząt wzrokowych", samo widzenie nie wystarcza, o czym możecie się zaraz przekonać. Jeżeli akurat siedzicie w hałaśliwym otoczeniu, wśród rozmów czy ulicznego hałasu, to po prostu zakrywacie uszy. Nie chodzi o to, że prawie nic teraz nie słyszycie – przestrzenne odczucie waszego otoczenia gwałtownie się zmieni, zginie głębia. W jak dużym stopniu obraz ten może u psów zależeć od uszu, które są piętnastokrotnie wrażliwsze niż nasze?

Nieodmiennie uważam to za fascynujące, gdy wyobrażam sobie, że każdy gatunek zwierzęcia na świecie zupełnie inaczej widzi i czuje, że przy takim ujęciu istnieją setki tysięcy rozmaitych światów. A wiele z nich czeka jeszcze i na naszych szerokościach geograficznych na swoje odkrycie. W Europie Środkowej obok zaprezentowanych już gatunków żyje wiele tysięcy innych, które niestety są tak maleńkie i nieatrakcyjne, że nawet ich występowanie do tej pory nie jest systematycznie zbadane. Stąd też z żalem trzeba stwierdzić, że o ich uczuciach także nic nie wiadomo, bo jeżeli nie mają widomego znaczenia dla nas, ludzi, to nie ma pieniędzy na badania. A gdy nie wiadomo, co dzieje się we wnętrzu tych zwierzątek, jakie mają potrzeby i jak bardzo cierpią wskutek komercyjnie zorientowanego leśnictwa, to nikt nie będzie miał ochoty urządzać dla nich rezerwatów.

Mnie na przykład żywo interesowałoby, o czym też myślą nieduże chrząszcze z rodziny ryjkowcowatych. Zaliczają się do nich gatunki, które nie potrafią latać, i natychmiast podbiły moje serce – taki na przykład malutki, ledwie dwumilimetrowy, brązowy łobuziak, który wygląda jak mały słonik. Na głowie i grzbiecie włosy układają mu się pasami, co wygląda jak irokez. Chrząszcze te dostosowały się do życia w gnijących liściach lasów pierwotnych, które cechuje przede wszystkim jedno – nie zachodzą tam niemal żadne zmiany. Rosną tam głównie buki, tworząc bardzo stabilne wspólnoty społeczne. Drzewa poprzez zrosty korzeni tak silnie wspierają się wzajem roztworem cukru, a nawet wiadomościami, że burze, owady czy wręcz zmiana klimatu nie są w stanie wyrządzić im większej szkody. Chrząszcz może tu spokojnie żyć, chrupiąc zwiędłe liście. Te gatunki chrząszczy określane są mianem gatunków reliktowych lasów pierwotnych, są zatem gatunkami należącymi do pierwotnej przyrody i uważa się je za wskaźnik tego, że w miejscu ich znalezienia co najmniej od wielu stuleci rośnie las liściasty. Jakiż chrząszcz chciałby przenosić się gdzie indziej, do czego miałyby mu być potrzebne skrzydła? Zmiana miejsca jest zbędną rzeczą, a tysiące pokoleń może się starzeć w spokoju – na szczęście również w rezerwatach w moim rewirze, w których znaleziono jeden z tych gatunków. Starzeć się przynajmniej wedle ryjkowcowych kryteriów, bo najpóźniej po upływie roku te maleńkie zwierzątka są już starcami.

Bez skrzydeł nie można uciekać, a ryjkowcowate mają więcej, niż trzeba, śmiertelnych wrogów wśród ptaków i pająków. Kto nie potrafi zbiec albo się ukryć, a się boi, ten musi wymyślić coś innego – chrząszcze w razie problemów po prostu udają martwe. Dzięki kamuflującym wzorom o barwie brązowych liści są praktycznie nie do zauważenia, niestety także dla odwiedzających las, bo z uwagi na ich wielkość od dwóch do pięciu milimetrów potrzebna byłaby lupa. Z braku bardziej zaawansowanych badań można tylko przypuszczać, co poza strachem czują te stworzonka. Jednak zależy mi na tym, by wspomnieć o nich w imieniu wielu innych gatunków, które nie znajdują się w centrum naszego zainteresowania, a jednak zasługują na uwagę. Bo różnorodność życia wokół nas jest czymś zupełnie cudownym. Kolorowe ptaki, puchate ssaki, fascynujące płazy albo też pożyteczne dżdżownice – wszędzie jest coś ciekawego do oglądania. I to właśnie jest nasz czuły punkt. Możemy czule podziwiać to tylko, co dostrzegają nasze oczy. A większość świata zwierząt jest tak maleńka, że objawia nam się jedynie za pomocą lupy bądź wręcz pod mikroskopem.

Co powiecie na przykład na niesporczaki, których odkryto do tej pory ponad tysiąc gatunków? Osiem nóżek, misiowate ciałko – naprawdę wyglądają jak małe niedźwiadki ze zbyt wieloma odnóżami. Milimetrowej wielkości tkankowce właściwe (bo tak się nazywa naukowo klad, czyli grupa systematyczna, do której są zaliczane) uwielbiają wilgoć. Z tego powodu nasze rodzime gatunki żyją najchętniej w mchu, który również uwielbia wodę i wyjątkowo dobrze ją gromadzi. Tam krzątają się pilnie maleńkie „niedźwiadki" i w zależności od gatunku są na diecie roślinnej lub polują na jeszcze mniejsze żyjątka, na przykład nicienie. Ale co się dzieje, gdy ich dom wysycha w gorące letnie miesiące? W moim rewirze piękne poduchy mchu pod grubymi pniami buków są wtedy często suche jak pieprz i niesporczaki są pozbawione wody. Następuje więc ekstremalna forma snu – wyschnięcie. Tylko dobrze odżywione zwierzęta mogą przeżyć ten proces, w którym tłuszcze odgrywają ważną rolę. Gdy utrata wody postępuje zbyt szybko, nadchodzi śmierć. Jeżeli jednak wilgoć wyparowuje powoli, zwierzę nastawia się na to i wysycha, wciągając nóżki w głąb ciała i redukując do zera przemianę materii. W tym stanie niesporczaki zdolne są niemal wszystko wytrzymać: niemiłosierne upały i trzaskające mrozy nie robią im najmniejszej krzywdy, nie zachodzi żadna aktywność biologiczna. Nie śnią też zresztą o niczym, bo w tym celu potrzebne by było mentalne kino z dostawą energii. Koniec końców jest to rodzaj śmierci i dlatego starzenie również nie postępuje. Krótko w zasadzie żyjące niesporczaki mogą w ekstremalnym przypadku przetrwać wiele dziesiątków lat, póki pewnego dnia nie spadnie zbawienny deszcz. Mech znowu wchłania mnóstwo wody, podobnie jak małe, sztywne ciałka. Wystarczy ledwie dwadzieścia minut, by nóżki znowu się rozprostowały, a w środku niesporczaka wszystkie struktury zostały przestawione w tryb pełnego działania. I już dawne życie wraca na znajome szlaki[76].

SZTUCZNE BIOTOPY

Codziennie nieustannie przekształcamy Ziemię, oddalając się przy tym coraz bardziej od pierwotnej natury. Zdążyliśmy już wykarczować, zabudować lub przekopać niewiarygodne siedemdziesiąt pięć procent stałej powierzchni Ziemi[77]. Jednak zmysły zwierząt nie są nastawione na beton i asfalt, lecz na lasy, bagna lub nietknięte rozlewiska. Jak bardzo jesteśmy w stanie wprawić je w pomieszanie, można się zorientować na przykładzie sztucznego światła. W Europie już połowa nocnego nieba jest „zanieczyszczona" lampami; niewielkie miasteczko z trzydziestoma tysiącami mieszkańców zapewnia nienaturalną iluminację w promieniu dwudziestu pięciu kilometrów. Ludność nie dostrzega już niemal czystego, rozgwieżdżonego nieba – i nie tylko ludność. Wiele gatunków zwierząt, przede wszystkim owady, jest zdanych na orientację wedle ciał niebieskich, gdy podróżują w ciemnościach. Przykładowo ćmy patrzą na księżyc, gdy chcą lecieć prosto. Gdy więc stoi w zenicie, a one chcą lecieć prościutko na zachód, zostawiają go po lewej stronie. Jednak małe motyle nie rozumieją różnicy między księżycem a nastrojową latarnią, która dekoracyjnie oświetla ogród. Jeżeli więc mały lotnik zaleci między róże a tulipany, to bieguny orientacji natychmiast mu się przestawią. Najsilniejsze źródło światła w nocy to musi być przecież księżyc, prawda? A więc próbuje zostawić ten nowy księżyc po swojej lewej stronie, tyle że latarnia nie jest niestety oddalona od niego o 384 tysiące kilometrów, a ledwie o kilka metrów. Jeżeli zatem ćma nadal leci prosto przed siebie, to „księżyc" znajdzie się za jej plecami, co powoduje, że ma ona wrażenie, iż skręciła w bok. Owadzi pilot, dokonuje więc korekty lotu w lewo, by rzekomo nadal lecieć prosto. „Księżyc" znajdzie się wtedy dokładnie po jego lewej stronie, ale w rzeczywistości zwierzę zaczyna latać wokół latarni. Spiralny tor lotu coraz bardziej się zawęża, aż wreszcie kończy w samym centrum. Jeżeli sztucznym księżycem była świeca, to słychać krótkie „puff" i kończy się również życie motyla.

Ale i poza tym jest niełatwo. Jeżeli owad przez całą noc próbuje utrzymać równy kurs, a mimo to ciągle ląduje na żarówce, to w którymś momencie wyczerpią mu się zapasy organizmu. W zasadzie chciał przecież lecieć do kwitnących nocą roślin, by zatankować nektar, ale nagle tych kilka pozostałych godzin przerodziło się w niezamierzoną kurację odchudzającą. Jakby tego jeszcze było mało, drapieżcy dostosowali swe zachowania do nowej sytuacji. Przy naszych drzwiach wejściowych pod lampą pająki krzyżaki regularnie snują sieci, w które łapią wyjątkowo tłuste ofiary. Gdy tylko ćma zacznie nieuchronnie wirować wokół lampy, ląduje w lepkich pasmach i jest zabijana ukąszeniem zębów jadowych właściciela.

Szczególną trudność dla dzikich zwierząt stanowią szosy. Asfalt jako taki nie jest początkowo niczym złym, bo mogą się na nim rozgrzać owady i gady, by osiągnąć temperaturę działania. Ciemne płaszczyzny wyjątkowo dobrze się nagrzewają, co zwłaszcza wiosną pomaga w szybszym starcie zwierzętom zmiennocieplnym (które same są w stanie wyprodukować niewiele ciepła). Jednakże tylko wtedy, gdy nie przejeżdża żaden samochód, który brutalnie kończy słoneczną kąpiel. Szosy mają ponadto także inne atrakcyjne aspekty, na przykład dla jeleni i saren. Nasypy wzdłuż nich są regularnie koszone, tak że stale są tu do dyspozycji soczyste trawy i zioła. Jest tam też wyjątkowo bezpiecznie, bo w okolicy ciągów komunikacyjnych nie wolno polować, by nie zagrażać kierowcom. Nic dziwnego, że nocą w tych wyjątkowych biotopach widać uderzająco dużo dzikich zwierząt. I to, niestety, obok ich bardzo wysokiego pogłowia jest powodem znacznej liczby wypadków samochodowych. Niemiecka gospodarka ubezpieczeniowa wykazuje w statystykach corocznie około dwustu pięćdziesięciu tysięcy zderzeń z dzikami, sarnami i innymi dzikimi zwierzętami – często z tragicznym skutkiem dla czworonogów[78].

One właściwie powinny się już tego nauczyć. Właściwie. Ale są dwa powody, które dostarczają ciągle nowych ofiar – pierwszym jest młodzieńcza lekkomyślność, która istnieje również u zwierząt. Przykładowo roczne sarny udają się na wędrówkę, by znaleźć sobie własny rewir. Zasiedziali pobratymcy często przez cały dzień przejdą góra sto metrów, kosztując soczystych liści malin, ale młode zwierzęta podążają tak daleko, póki nie znajdą skrawka wolnego miejsca. A zakładając gęstość dróg – i to tylko dróg regionalnych – wynoszącą 646 metrów na kilometr kwadratowy, często trzeba przekraczać taką asfaltową wstęgę, nim znajdzie się spokojny, wolny zakątek.

Drugim powodem jest miłość. Zwłaszcza kozły w okresie godowym kompletnie tracą głowę i myślą tylko o jednym – o seksie. W upalne letnie miesiące, w lipcu i sierpniu, hormony szaleją, a zwierzęta bezustannie nasłuchują, czy skądś nie dolecą wabiące piski. Gotowe do krycia kozy, czyli samice saren, zwracają na siebie uwagę tymi odgłosami. Myśliwi potrafią naśladować ich piski za pomocą źdźbła trawy czy liścia (przytrzymuje się je kciukami, przyciska usta i dmucha), dlatego też w Niemczech nazywa się ten okres również „czasem wabienia na liściu" (*Blattzeit*). Przyznaję, sam też kiedyś nabrałem w ten sposób kozła, bo chciałem sprawdzić, czy to naprawdę działa. I faktycznie – już po pierwszym delikatnym piśnięciu z zarośli wyskoczył roczniak i zaczął się rozglądać, gdzie też się znajduje dama jego serca. Kozłom całkowicie mącą się zmysły, więc nie rozglądając się na boki, rzucają się przez drogę, jeśli po przeciwnej stronie wabi romantyczna przygoda. Z tego powodu latem zdarza się również w ciągu dnia więcej wypadków komunikacyjnych z udziałem saren.

Czy nasze miasta to zatem samo zło dla dzikich zwierząt? Bynajmniej! Poza wymienionymi ograniczeniami i zagrożeniami otwierają one także przed nimi wielkie szanse, zwłaszcza jeśli chodzi o różnorodność gatunkową. Podczas gdy za bramami miast pola i łąki toną i jałowieją w potokach gnojowicy, w lasach zaś kombajny zrębowe ścinają jedno drzewo po drugim, nieodwracalnie niszcząc glebę, między rzędami domów powstają stosunkowo nietknięte nowe biotopy. Nic dziwnego, że duża liczba gatunków, w tym tysiące roślin, uciekła ze zdewastowanych pustyni agrarnych do tych refugiów. Naukowcy zakładają, że w miastach półkuli północnej można znaleźć około pięćdziesięciu procent gatunków typowych dla danego regionu i kraju. Nasze obszary metropolitalne stały się tym samym czymś w rodzaju ośrodków różnorodności biologicznej. Ale dlaczego w książce o zwierzętach uczepiłem się rozprzestrzeniania się roślin? No cóż, zioła, krzewy i drzewa są podstawą pożywienia zwierząt, stanowią początek łańcucha pokarmowego, a tym samym są ważnymi wskaźnikami jakości biotopów. I w ten sposób można również donieść o obserwacjach pomyślnych dla zwierząt. Na przykład w Warszawie występuje sześćdziesiąt pięć procent wszystkich gatunków ptaków w Polsce.

Miasta są młodymi siedliskami przyrody. Porównać je można z wyspą wulkaniczną, która wśród straszliwego huku wyłania się z morza naga i pusta, a potem w miarę upływu lat zasiedlana jest przez rośliny i zwierzęta. Wspólną cechą takich młodych biotopów jest to, że długo jeszcze podlegają intensywnym zmianom, co znaczy, że również miasta dopiero za wiele dekad lub wręcz stuleci osiągną stabilną równowagę w odniesieniu do gatunków. W Berlinie, Monachium czy Hamburgu możecie być zatem świadkami ciągłej, jeśli nawet powolnej zmiany. Najpierw w miastach pojawia się w nieproporcjonalnej liczbie wiele obcych gatunków, ponieważ zostały tam „porzucone", czyli posadzone przez mieszkańców w ogrodach i parkach. Dopiero po upływie wielu dziesiątków lat w otoczeniu znowu coraz częściej przebijają się rodzime gatunki. O prawdziwości tego twierdzenia można się przekonać w Stanach Zjednoczonych i we Włoszech – w USA liczba nierodzimych roślin maleje ze wschodu na zachód, odzwierciedlając w ten sposób kolejne fale osiedleńcze Europejczyków, w Rzymie natomiast ich udział zredukował się do 12,4 procent. Wieczne Miasto miało na to jednak ponad dwa tysiące lat[79].

U zwierząt można zaobserwować podobny proces. Wyjątkowo łatwo mają generaliści w rodzaju lisa, który potrafi się dostosować do najróżniejszych przestrzeni życiowych. Jednak wygląda na to, że zwierzęta mają większe problemy niż rośliny, bo potrzebują większych rewirów, a ponadto zagrażają im koty, inne zwierzęta domowe i ruch uliczny. Gdy zaś jakiś gatunek zdobywa wyraźną dominację, jak na przykład gołębie, to tracimy sympatię dla tych zwierząt, a gdzieniegdzie nawet zaczynamy je zwalczać. Za szczególnie udane zjawisko uważam pszczelarstwo miejskie. Na terenie śródmieść, w przeciwieństwie do otwartych przestrzeni, mamy do czynienia z dobrą podażą kwiatów przez całe lato i dlatego liczba uli oraz produkowanego przez nie miodu stale wzrasta. Dowodzi to również, że musi istnieć wystarczająca ilość pokarmu dla motyli i trzmieli. Pozostaje zapamiętać, że obszary metropolitalne nie są stracone dla zwierząt. Jednak to, że powinniśmy dbać o ochronę ich pierwotnych przestrzeni życiowych, jest zupełnie inną rzeczą.

W SŁUŻBIE CZŁOWIEKA

Większość zwierząt użytkowanych przez człowieka wiedzie niegodne życie. To niezliczone świnie i kury, które traktowane są wyłącznie jak dostarczyciele surowca w masowych hodowlach przemysłowych. Nie ma potrzeby zastanawiać się, czy te zwierzęta pracują dla nas dobrowolnie czy też nie – od razu można z całym przekonaniem zaprzeczyć. Jednak rzeczywiście istnieją piękne przykłady współpracy człowieka ze zwierzęciem, których obserwacja budzi radość. Często mogę oglądać takie pary w moim rewirze – o ścięte drzewa troszczą się ludzie pracujący przy zrywce wraz ze swymi końmi. Dzisiaj stało się już normą, że większość drzew ścinają kombajny zrębowe, czyli wieloczynnościowe maszyny wykorzystywane przy zrębie. Nie służą one lasom, bo swym ogromnym ciężarem zgniatają wrażliwą glebę do dwóch metrów głębokości. Stąd też w moim rodzimym lesie gminnym wyrąb zleca się pracownikom leśnym. Następnie trzeba przeciągnąć pnie do drogi, co w żargonie fachowym określa się mianem „zrywki". W Hümmel tak jak przed setkami lat załatwiają to potężne konie zimnokrwiste. Czy chętnie pracują? Czy ciągnięcie przez cały dzień ciężkiego ładunku, aż pot leje się po bokach, nie jest nudne?

Zajmijmy się najpierw ciężarami. Pracownicy leśni tną mierzące do trzydziestu metrów długości pnie na maksymalnie pięciometrowe odcinki, by nie przeciążyć zwierząt. W ten sposób nie tylko praca staje się lżejsza, ale i łatwiej można manewrować między drzewami. I tu pojawia się zrywkarz. Nie widziałem jeszcze ani jednego, który nie kochałby swoich zwierząt. Są one dla nich kolegami z pracy, których nie można sforsować. W sprawowaniu opieki nad końmi nie istnieją wolne wieczory ani weekendy, dlatego też stają się one raczej członkami rodzin, o których trzeba dbać. Podczas pracy w lesie właściciele bardzo troskliwie pilnują, by zwierzętom nie stała się żadna krzywda. Jedyne istoty, które uważają, że przydałoby się jeszcze trochę harówki, to same konie. Ich chęć do pracy świetnie widać, gdy muszą zrobić przerwę. Przeważnie zadanie przejmuje wtedy drugi koń, żeby zrywkarz uzyskał odpowiedni dzienny urobek. „Pauzujący koń" co najmniej przez pierwszą połowę dnia grzebie niecierpliwie kopytami i najchętniej zaraz zabrałby się do roboty. A zwierzęta mogłyby swobodnie się wzbraniać przed wykonywaniem pracy, bo są wtedy zwykle prowadzone tylko na luźnej linie. Jest ona o wiele za słaba, by utrzymać ważące blisko tonę kolosy, a i tak nie dałoby się ich pociągnąć w dowolnym kierunku za pomocą cienkiego sznura. Nie, ta lina służy tylko do utrzymania kontaktu, przekazuje drobne sygnały na przód zaprzęgu. Resztę załatwia się niezrozumiałą chińszczyzną, mamrotaniem czegoś w rodzaju „wiśta wio, hej ho, prrr". Koń dokładnie stosuje się do poleceń, czy ma iść do przodu, do tyłu czy też w bok, czy ma pociągnąć od razu z całą mocą, czy też kroczyć ostrożnie.

Podobne pary złożone z człowieka i zwierzęcia tworzą pasterze ze swymi psami, które również otrzymują słowne wskazówki. Także i tutaj widać radość zwierząt z wykonywanej pracy, kiedy śmigają wokół stada owiec i zaganiają całą bandę na miejsce.

Istnieją dwa całkowicie różne sposoby podejścia do tematu „zwierzęta domowe". Według jednego z nich tak ukształtowaliśmy naszych zwierzęcych krewniaków na drodze hodowli, że są idealnie dostosowani do naszych potrzeb. Z dzikich stali się oswojeni, ze szczupłych tłuści, z wielkich mali – zwierzęta są w stanie spełnić wszelkie nasze życzenia. Przekształciliśmy zatem pierwotne gatunki w częściowo dziwaczne karykatury. Można jednak podejść do zagadnienia zupełnie inaczej, przy czym „podchodzącymi" są w tym przypadku zwierzęta. Bo to one umiały tak się zmienić, że potrafią teraz idealnie wciskać nasze guziki emocjonalne. Tu znowu pojawia się buldożek Crusty. Mały piesek z zadartym noskiem ma ujmującą osobowość – po prostu nie da się go nie głaskać. To kto tu kim manipuluje? Jedzenie i woda zapewnione, w razie jakichś dolegliwości od razu jazda do weterynarza, zimą zawsze czeka przytulny kącik przy kominku – maluch prowadzi naprawdę przyjemne życie. Gdyby nadal żył jak jego wilczy przodkowie na swobodzie, z pewnością nie zawsze by to tak wyglądało.

Jak dalece sami się dostosowujemy do naszych czworonożnych współmieszkańców, pokazuje przykład tolerancji na laktozę. Normalnie mleko dobrze znoszą tylko niemowlęta, bo tylko do ich dyspozycji matki mają biały płyn. Zdolność trawienia mleka względnie laktozy (cukru mlecznego) stopniowo zanika wraz z przestawianiem się na stały pokarm. A raczej – zanikała. Trzymanie zwierząt domowych oznaczało bowiem, że dorośli mogli również spożywać mleko i ser, w tym przypadku pochodzące od krów i kóz. Jako że chodziło o wartościowy produkt spożywczy, lepiej miały się te wspólnoty, u których genetyczne mutacje zadbały o to, by laktoza nie przysparzała już problemów trawiennych. Można dowieść, że proces ten trwa od około ośmiu tysięcy lat i nadal się toczy, z którego to powodu zdolność tę posiada dopiero 90 procent ludności w środkowej Europie i 10 procent w Azji. Nie zbadano jeszcze, jak się dostosowaliśmy do psów, z którymi razem żyjemy już – w zależności od tego, którego naukowca zapytamy – od blisko czterdziestu tysięcy lat[80].

KOMUNIKATY

Zwracałem już uwagę na ten problem – koniec końców nigdy nie będziemy wiedzieć, czy zwierzęta tak samo jak my odczuwają strach, żałobę, radość czy szczęście. Nie da się nawet ostatecznie wyjaśnić, czy jeden człowiek czuje to samo, co drugi, jak już zapewne sami stwierdziliście przy kwestii odczuwania bólu. Za pomocą pokrzyw można znakomicie sprawdzić, że niektórzy ludzie są wrażliwsi na takie same nieprzyjemne doznania. Niektórzy głośno wrzeszczą, inni zaś ledwie co czują. A jednak za pośrednictwem mowy możemy sobie przynajmniej przekazać tyle, że jesteśmy w stanie dobrze zrozumieć uczucia bliźniego. W przeciwieństwie do zwierząt.

Naprawdę? Relacje dotyczące kruków mówią tu co innego dosłownie jednym głosem, jak już widzieliśmy przy okazji imion. Powitanie nowo przybyłych rozmaitej wysokości dźwiękami świadczyło równocześnie o szacunku względem nich – lepiej uczuć nie da się wyrazić. Jednak komunikacja nie składa się tylko z dźwięków. Również i u nas, ludzi, istotna część komunikacji jest niewerbalna, bo przekazywana na przykład za pomocą mimiki i gestów. W zależności od tego, której rozprawie chcemy dać wiarę, tylko do siedmiu procent słownej treści tego, co się mówi, ma istotne znaczenie[81].

A w wypadku zwierząt? Kruki podobnie jak my nie poprzestają jedynie na wydawaniu dźwięków. Uczeni zebrani wokół Simone Piki z Instytutu Ornitologii im. Maxa Plancka w Seewiesen odkryli, że te inteligentne ptaki wykorzystują dziób podobnie jak my nasze ręce. Gdy my wskazujemy na coś palcem albo machamy podniesioną ręką, by zwrócić uwagę towarzysza na jakiś przedmiot albo nas samych, kruki podnoszą dziobem przedmioty. Wskazują w ten sposób w konkretnym kierunku albo starają się wzbudzić zainteresowanie płci przeciwnej. Ponadto za pomocą obszernego dźwiękowego „wokabularza" oraz rozmaitych sekwencji ruchów, które układają w nowe kombinacje, uzyskują szalenie szczegółową zdolność ekspresji[82]. Potrzebują jej zresztą, bo muszą długo testować swego towarzysza, ostatecznie kruki łączą się w pary zwykle na całe życie. Te odkrycia stanowią jednak drobny wgląd w życie uczuciowe czarnych ptaków, które z pewnością sprawią nam jeszcze wiele niespodzianek.

U nas w leśniczówce też mamy takiego „pokazywacza". Nasze dzieci dostały kiedyś parkę papużek nierozłączek i Anton, samczyk, potrafił zwracać na siebie uwagę. Zawsze kiedy był głodny, podnosił wysoko swoją miseczkę i upuszczał. Miał wystarczająco dużo zabawek w klatce, ale najwyraźniej ten gest był konkretnie zorientowaną informacją o treści: „Proszę napełnić!".

Wróćmy jednak od gestów do języka. Psy potrafią nie tylko szczekać, lecz generują szereg najrozmaitszych dźwięków, za pomocą których mogą się z grubsza wyrażać. Być może robią to w o wiele bardziej zniuansowany sposób, a my tylko z grubsza je rozumiemy, jak przynajmniej w zarysie przeczuwaliśmy w odniesieniu do Maxi, naszej münsterländerki. Z biegiem lat potrafiliśmy naprawdę usłyszeć, czy jest głodna, czy jej się nudzi bądź też czy ma pustą miseczkę na wodę. Nawet nasze konie są najwyraźniej zdolne do stosunkowo zróżnicowanego sposobu wyrażania się. W tej mierze wyjątkowo zaskoczyła mnie pewna praca badawcza ze Szwajcarii. Dla wielu posiadaczy koni nie jest żadną nowiną informacja, że zwierzęta porozumiewają się ze sobą, że wiele potrafią sobie wyjaśnić za pomocą mowy ciała. U zwierząt wierzchowych, w przeciwieństwie do kruków, komunikacja niewerbalna jest już nieco lepiej zbadana. Naukowcy z Politechniki Federalnej w Zurychu stwierdzili jednak ku swemu zaskoczeniu, że nawet w pozornie prymitywnych odgłosach tkwi więcej treści, niż dotąd było wiadomo. Odkryli, że rżenie jest dwutonowe i może służyć przekazywaniu złożonych informacji. Pierwsza z dwóch podstawowych częstotliwości rżenia przekazuje, czy chodzi o emocję pozytywną czy też negatywną, druga – jak silna jest to emocja[83]. Na odpowiedniej stronie Politechniki Federalnej można odsłuchać przykłady rżenia w obu sytuacjach[84] i mogłem od razu się upewnić – nasze konie, widząc nas, rżą w zdecydowanie pozytywnym nastroju. W porządku, przeważnie dajemy jedzenie, ale nie o to tutaj mi chodzi. Nie, mogę teraz wreszcie powiedzieć z całą pewnością, że konie rżą radośnie, kiedy do nich idę, a to okoliczność, którą do tej pory mogłem jedynie podejrzewać. A po lekturze przywołanych wyników badań zacząłem się dokładniej przysłuchiwać koniom, by się dowiedzieć, czy pojawiają się jakieś wahania, to znaczy, czy się cieszą raz mniej, raz bardziej. Dzisiaj już wiem – tak, naturalnie, takie wahania występują, całkiem tak samo jak u nas, ludzi.

Niezależnie od tej rozprawy jestem pewien, że istnieje również „czułe rżenie". Gdy nasza starsza klacz Zipy przytula się do nas, wydaje z zaciśniętym pyskiem cichutkie, wysokie tony. Wiemy wtedy, że dobrze się czuje i chętnie z nami przebywa, przekazuje nam zatem „werbalnie" swoje emocje.

Konie stanowią dla mnie piękny przykład tego, jak mało wiemy o komunikacji między zwierzętami. Akurat konie od tysięcy już lat znajdują się w ludzkiej pieczy i w zasadzie powinny być z tego powodu wyraźnie lepiej zbadane niż dzikie zwierzęta. Fakt, że nawet i tutaj można jeszcze odkryć takie niespodzianki, i to dopiero w ciągu ostatnich lat, każe mi z jeszcze większą ostrożnością ferować wyroki co do uzdolnień innych gatunków.

Na kolejny stopień komunikacji wspięlibyśmy się wówczas, gdybyśmy nie tylko mogli zrozumieć język, jakim zwierzęta porozumiewają się między sobą, lecz także potrafili z nimi porozmawiać. Umożliwiłoby to bezpośrednie wypytanie ich o najróżniejsze doznania – można by sobie oszczędzić żmudnych badań naukowych. Coś takiego jest już możliwe, bo istnieje pewna gorylica imieniem Koko, która opowiada poruszające rzeczy. Tak, naprawdę opowiada, i to mową gestów. Penny Patterson trenowała młodą naówczas małpę naczelną w ramach swego doktoratu na Uniwersytecie Stanforda w Kalifornii. W miarę upływu czasu

Koko nauczyła się ponad tysiąca znaków i rozumiała ponad dwa tysiące słów w języku angielskim. Dzięki swym zdolnościom podzieliła się z uczoną swymi myślami i po raz pierwszy można było prowadzić dłuższe rozmowy ze zwierzęciem. Inne małpy również zostały poddane szkoleniu z podobnym skutkiem i dowiodły, że Koko nie jest żadnym zjawiskiem wyjątkowym[85]. Zresztą gorylą damę wyjątkowo często można zobaczyć w mediach i wielokrotnie przytaczane są wzruszające epizody z jej udziałem. Na przykład kiedyś dostała w prezencie pluszową zebrę, a na pytanie, co to jest, odpowiedziała gestami „biały" i „tygrys". Zapytana zaś o powód, dlaczego goryle umierają, odparła szybko znakami „problem – stary"[86]. Koko wielokrotnie odpowiadała tak inteligentnie i łączyła znane rzeczy z nowymi pojęciami, że można rzeczywiście mówić o małpie uzdolnionej językowo.

Jednak Gorilla Foundation, organizacja, która poświęciła swą działalność wielkim małpom człekokształtnym i której najważniejszym projektem jest badanie świata Koko, spotyka się także z wyraźną krytyką. Niemożliwe jest zbadanie jej wyników przez zewnętrznych badaczy, niemal nie pojawiają się wewnętrzne publikacje dotyczące projektu. Ponadto rozmowy z Koko nie są prowadzone ściśle naukowo, na przykład gorylica często odpowiadała na opak, co badacze interpretowali jako figlarne przekomarzanie się małpy[87]. Nie mogę wam niestety powiedzieć, co w publikacjach jest prawdą, a co nie, jednak przeczucie podpowiada mi przynajmniej tyle, że w większości przypadków mamy zwyczaj mocno nie doceniać talentów naszych zwierzęcych krewniaków. A to, czy Koko faktycznie mówi, czy też tylko część jej odpowiedzi ma sens, nie stanowi dla mnie tak czy owak wielkiego problemu. Bo komunikacja między człowiekiem jest zwykle postrzegana bardzo jednostronnie – człowiek próbuje nauczyć inny gatunek swojego języka. A gatunek wtedy uchodzi za wyjątkowo inteligentny, kiedy rozumie wiele pojęć lub rozkazów i w miarę możności potrafi się jeszcze odpowiednio do tego wyrażać. Papużki nierozłączki, kruki czy małpy jak Koko wywołują zachwyt, gdy do tego odpowiadają na pytanie w naszym języku.

Jeżeli naprawdę – co zakładam – jesteśmy najinteligentniejszym gatunkiem na tej planecie, to dlaczego nauka już dawno nie wkroczyła na drogę prowadzącą w odwrotnym kierunku? Dlaczego mozolnie w ciągu wielu lat pracy wpaja się gesty zwierzętom doświadczalnym, których zdolność uczenia się zgodnie z dzisiejszym stanem badań jest niższa od naszej? Czy nie byłoby prościej, gdybyśmy to my wreszcie zaczęli uczyć się języka zwierząt? Mamy o wiele większe możliwości niż jeszcze przed niewielu laty, gdy przykładowo wydawanie dźwięków na poziomie koni było niemożliwe z uwagi na dwutonowe rżenie. Dzisiaj sprawę mógłby załatwić komputer, który stosownie przetłumaczyłby nasze życzenia na odpowiednie zwierzęce słowa. Niestety, nie znam żadnej poważnej pracy na ten temat. Jest mnóstwo ludzi, którzy potrafią naśladować zwierzęce głosy, na przykład nawoływania rozmaitych gatunków ptaków. Jednak naśladowcy kosa lub sikorki potrafią w ptasiej mowie jedynie odgwizdać „zajęte!". Bo nic innego nie znaczy piękna melodia wyśpiewywana przez samczyki w koronach drzew. Co dla naszych uszu brzmi uroczo, ma służyć w obrębie gatunku odstraszeniu konkurencji. To mniej więcej to samo, jakby papuga potrafiła powiedzieć „spadaj!" – niestety, nie zaszliśmy o wiele dalej na drodze porozumienia z naszymi zwierzęcymi krewniakami.

GDZIE TKWI DUSZA?

No dobrze, zajrzyjmy im do wnętrza – czy zwierzęta również mają duszę w sensie niematerialnego organu? To faktycznie ambitne pytanie, na które odpowiedzi wolę najpierw szukać w odniesieniu do nas, bo to prostsze. Bo czym właściwie jest dusza? Słownik Dudena definiuje to pojęcie, co ciekawe, w kilku wariantach, a to samo w sobie dowodzi, że nie ma jednolitego rozumienia słowa „dusza". Wariant pierwszy opisuje duszę jako całość uczuć, doznań i myśli, które tworzą człowieka. Wariant drugi obejmuje niesubstancjalną część człowieka, która zgodnie z poglądami religijnymi żyje nawet po jego śmierci[88]. A ponieważ tego ostatniego nikt nie jest w stanie sprawdzić, chciałbym zająć się bliżej wariantem numer jeden.

Całość tego, co stanowi o istocie zwierzęcia, można by przecież również określić na podstawie jego uczuć, doznań i myśli, prawda? Jak zdążyliśmy zobaczyć, nie odmawiamy już innym gatunkom prawa do uczuć i doznań – pozostawałby więc tylko ostatni punkt: myślenie. Zgodnie z definicją Dudena (która w końcu dotyczy jedynie ludzi) myślenie jest podstawowym warunkiem dla istnienia duszy. W porządku, poszukajmy zatem tego uzdolnienia. A nie jest to takie proste. Bo również w odniesieniu do myślenia istnieje wiele określeń opisowych, które są wysoce skomplikowane, a mimo to nie oddają całościowo stanu faktycznego. Tak na przykład Uniwersytet Techniczny w Dreźnie proponuje swoim studentom między innymi następującą wykładnię: „Myślenie – proces umysłowy, podczas którego wytwarzane są, przekształcane i łączone ze sobą symboliczne lub obrazowe reprezentacje obiektów, zdarzeń lub działań". Wyraźnie prostsze, podane w tym samym kontekście objaśnienie ujęło rzecz zwięźlej: „Myślenie to rozwiązywanie problemów..."[89]. A zatem przynajmniej u tych gatunków zwierząt, których działanie możemy dobrze zrozumieć, myślenie jest częścią ich uzdolnień. Kruki, które nawołują się po imieniu, szczury zastanawiające się nad swym postępowaniem i żałujące go, koguty okłamujące swe kury czy sroki decydujące się na skok w bok – kto zechciałby zaprzeczyć, że w ich mózgownicach zachodzi proces rozwiązywania problemu?

I tu chciałbym raz jeszcze zająć się tą drugą, religijną definicją duszy. Nawet jeśli miałbym stąpać po kruchym lodzie, na którym nie czuję się pewnie, nawet jeśli wiara i logika często się wykluczają, to jednak chciałbym wygłosić mowę obrończą za duszą zwierzęcą w religijnym jej rozumieniu.

Dusza jest podstawowym warunkiem życia po śmierci, o ile ktoś nie wierzy w cielesne zmartwychwstanie. I jeśli w takim ujęciu człowiek ma duszę, to musi ona być koniecznie obecna również u zwierząt. Dlaczego? Dlatego że nasuwa się pytanie, od kiedy ludzie idą do nieba. Od dwóch tysięcy lat? Od czterech tysięcy lat? Czy też odkąd istnieje człowiek? To by było około dwustu tysięcy lat. Ale gdzie przebiega granica dzieląca nas od starszych form, od naszych przodków? Przecież ten proces nie dokonał się błyskawicznie, tylko postępował mozolnie, drobne zmiany pojawiały się w toku ewolucji z pokolenia na pokolenie. Które więc osobniki nie zostałyby określone mianem człowieka z duszą? Może ta przodkini, która żyła przed 200 023 laty? Albo też ten mężczyzna uzbrojony w krzemień, który żył przed 200 197 laty? Nie, wyraźna granica nie istnieje i można tylko przesuwać się coraz dalej w tym łańcuchu pokoleń, poprzez coraz bardziej prymitywnych przodków, małpy naczelne, pierwsze ssaki, ryby, rośliny, bakterie. Jeżeli nie ma żadnego konkretnego punktu X w czasie, od którego można by dane stworzenia zaliczać w szeregi *Homo sapiens*, to nie ma też żadnego konkretnego punktu, od którego pojawia się dusza. A jeżeli istnieje wyższa sprawiedliwość w religijnym sensie, to przy pytaniu o życie wieczne raczej nie dojdzie do wykreślania czytelnej granicy między dwoma pokoleniami, z których starsze pozostanie na zewnątrz, a młodsze wpuszczą do nieba. Czy to nie piękna wizja, że w niebie kłębi się pełno zwierząt wszelkich gatunków, które żyją wśród mnóstwa ludzi?

Całkowicie już abstrahując od powyższego, osobiście nie wierzę w życie po śmierci. Zazdroszczę każdemu, kto jest do tego zdolny, ale to przerasta moją wyobraźnię. Dlatego zadowalam się pierwszym, naukowym opisem duszy, którą chętnie przypisuję wszystkim zwierzętom. Zwyczajnie uważam to za piękną myśl, że inne gatunki również nie są jedynie maszynami, które działają wyłącznie według zaprogramowanych mechanizmów, a naciśnięcie guzika względnie hormonu wywołuje określone działania. Wiewiórki, sarny czy dziki z duszą – to jest to, co mnie bierze i napełnia moje serce radością, gdy widzę takie zwierzaki na swobodzie.

POSŁOWIE: KROK DO TYŁU

U zwierząt szukam chętnie analogii do ludzi, bo nie mogę sobie wyobrazić, że zasadniczo czują one inaczej. Jest wysoce prawdopodobne, że mam rację. Dzisiaj możemy już uważać za obalony pogląd, jakoby w toku ewolucji nastąpiło załamanie i wszystko zostało ponownie wynalezione od nowa. Tylko w wypadku myślenia istnieją poważne różnice – to jeszcze ciągle potrafimy najlepiej.

Jednak to, co dla nas jest takie ważne, dla naszych zwierzęcych krewniaków może nie być aż tak bardzo istotne, bo inaczej ich rozwój musiałby przebiegać podobnie do naszego. Czy w ogóle potrzebne jest tak intensywne myślenie? Z pewnością nie jest ono konieczne, by prowadzić spełnione, zrelaksowane życie. Gdy odpoczywamy na urlopie, często pada zdanie: „Czuję się znakomicie i nie muszę o niczym myśleć". Szczęścia i radości można zaznawać i bez głębokich rozważań, i to właśnie jest punkt kluczowy – inteligencja jest początkowo zupełnie zbędna w stosunku do emocji. Uczucia sterują, jak to już wielokrotnie podkreślano, instynktownymi programami, a tym samym są niezbędne do życia wszystkim gatunkom zwierząt i dlatego u wszystkich są obecne w mniej lub bardziej intensywnej postaci. Drugorzędne znaczenie ma natomiast to, czy dany gatunek zastanawia się nad tymi uczuciami, przedłuża je drogą refleksji bądź potrafi je wywołać w późniejszym czasie. Naturalnie to piękna rzecz, że akurat my to potrafimy, a przez to być może jesteśmy w stanie mocniej przeżywać te chwile. Jednak dotyczy to i tych mniej pięknych chwil, przez co wynik rozgrywki ze światem zwierząt wynosi jeden do jednego.

Ale dlaczego niektórzy uczeni, przede wszystkim jednak politycy w rodzaju tych z resortów rolniczych, stawiają nadal taki opór, gdy mowa jest o zdolności do odczuwania szczęścia i cierpienia przez naszych zwierzęcych krewniaków? Przeważnie chodzi o przemysłową hodowlę masową, która winna być chroniona dzięki opłacalnym metodom chowu i leczenia, jak na przykład wspominana już kastracja prosiąt bez znieczulenia. Albo o polowania, których ofiarą padają co roku setki tysięcy dużych ssaków oraz wiele ptaków i które w takiej postaci są po prostu anachroniczne.

Gdy już padną wszystkie argumenty i właściwie jest oczywiste, że zwierzętom należy przyznać o wiele więcej uzdolnień, niż to się czyni na co dzień, wtedy w ostatniej chwili oponenci łapią za wielką maczugę – uczłowieczenie. Kto porównuje zwierzęta z ludźmi, ten postępuje nienaukowo, sentymentalnie, a być może nawet ezoterycznie, jak brzmi częsty zarzut. W ogniu walki łatwo przeoczyć oczywistość, której już dzieci uczą się w szkołach – z czysto biologicznego punktu widzenia człowiek również jest zwierzęciem, a tym samym nie wyróżnia się z szeregu innych gatunków. Porównanie wcale nie jest naciągane, a co najważniejsze: możemy dotrzeć do sedna tylko tych rzeczy, które jesteśmy w stanie zrozumieć, w które również możemy się wczuć. Z tego powodu rozsądne jest najpierw bliższe rozpatrywanie tych gatunków, u których dowiedziono istnienia podobnych emocji i procesów umysłowych jak u nas. Takie uczucia jak głód czy pragnienie ułatwiają postawienie się na ich miejscu, podczas gdy wzmianka o szczęściu, żałobie czy współczuciu sprawia, że niejednemu od razu włos się jeży na głowie. Nie chodzi tu wcale o uczłowieczanie zwierząt, lecz jedynie o ich lepsze pojmowanie. Bo takie porównania służą przede wszystkim zrozumieniu tego, że zwierzęta to nie są głupie stworzenia, które ewolucyjnie stoją wyraźnie dużo niżej od nas, a jeśli chodzi o ból i tym podobne sprawy, dostały im się tylko przytępione warianty naszej bogatej palety doznań. Nie, kto zrozumiał, że jelenie, dziki bądź kruki wiodą swoje własne, idealne życie i czerpią z niego mnóstwo radości, ten może zdoła okazać szacunek nawet maleńkiemu ryjkowcowi, który wesoły i zadowolony krząta się w ściółce starych lasów.

To, że ciągle jeszcze istnieją wątpliwości co do świata uczuć zwierząt, bierze się być może również stąd, że nawet w wypadku człowieka wiele emocji i innych procesów umysłowych nie jest do dzisiaj jednoznacznie definiowalnych. W tym kontekście chciałbym wspomnieć tylko o szczęściu, wdzięczności albo po prostu o myśleniu – wszystko to nadal są pojęcia bardzo trudne do opisania. Jak mielibyśmy ogarnąć ich naturę u zwierząt, gdy nawet u siebie samych nie potrafimy tego właściwie zrozumieć? Czysta nauka, definiowana dzisiaj zgodnie z nakazem rzeczowości, nie zawsze tu pomaga, bo własne emocje zostawia się z założenia na zewnątrz. Ponieważ jednak człowiek w przeważającej części funkcjonuje poprzez emocje (patrz rozdział *Instynkty – uczucia drugiego sortu?*), posiadamy odpowiednie anteny, by rozpoznawać tego rodzaju poruszenia uczuć u naszego towarzysza. I tylko dlatego te anteny miałyby przestać działać, bo towarzysz jest zwierzęciem, a nie człowiekiem?

Ewolucyjnie rozwijaliśmy się w świecie pełnym innych gatunków i musieliśmy przetrwać wbrew nim i razem z nimi. Z pewnością wiedza o zamiarach wilków, niedźwiedzi i tarpanów była równie istotna, co czytanie w obcych ludzkich twarzach. Oczywiście, nasze wyczucie może nas zawieść, możemy zbyt wiele wyczytywać z działań psów i kotów. Jednak w większości przypadków nasze intuicje są słuszne – o tym jestem głęboko przekonany. W tej mierze najnowsze odkrycia nauki nie są więc szalonym zaskoczeniem dla miłośników zwierząt, lecz zaledwie dodatkowo ich upewniają, by ufali własnym uczuciom w odniesieniu do zwierząt.

Gdy ktoś odmawia tym ostatnim zbyt wielu ogólnie uznawanych emocji, ogarnia mnie ciche poczucie, że pobrzmiewa tu zawsze trochę strachu, iż człowiek mógłby stracić swoją wyjątkową pozycję. I coś jeszcze gorszego – wykorzystywanie zwierząt znacznie by się skomplikowało, jeżeli przy każdym posiłku albo skórzanej kurtce przyjemność mąciłyby zastrzeżenia moralne. Jeżeli pomyślimy o wrażliwych świniach, które uczą swoje latorośle, pomagają im nawet przy porodzie własnych młodych, reagują na swoje imię i zdają test lustra, to musi nam się zrobić trochę nieswojo na myśl o uboju około dwustu pięćdziesięciu milionów zwierząt tylko tego gatunku na terenie całej Unii Europejskiej[90].

I nie dotyczy to przecież tylko zwierząt. Jak nauka już dzisiaj wie, a wy też może o tym czytaliście, istnienie uczuć, a nawet uzdolnień pamięciowych należy przyjąć także u drzew i innych roślin. To czym w takim razie mamy się żywić bez moralnych skrupułów, jeśli nawet zieleninie słusznie należy współczuć? Bez obaw, nie wzywam do śniadania w tonacji molowej i kolacji jedzonej ze wstrętem – nasza pozycja w świecie biologicznym związana jest, podobnie jak wielu innych gatunków, z prawem do wykorzystywania, a także spożywania innych stworzeń, ponieważ zwyczajnie nie potrafimy przeprowadzać fotosyntezy.

Pragnąłbym raczej, byśmy z nieco większym szacunkiem traktowali świat ożywiony, czy to będą zwierzęta czy rośliny. Nie musi to w żadnym razie oznaczać rezygnacji z użytkowania ich, na pewno jednak pociągnie za sobą pewne ograniczenia w naszej wygodzie oraz ilości dóbr biologicznych, jakie konsumujemy. Ale jeżeli nagrodą będą weselsze konie, kozy, kury i świnie, jeżeli będziemy mogli obserwować zadowolone jelenie, kuny czy kruki, jeżeli nawet pewnego dnia podsłuchamy te ostatnie, jak nawołują się po imieniu – to w naszym centralnym układzie nerwowym dojdzie do wyrzutu hormonów, a po naszym ciele rozleje się uczucie, przed którym nie będziecie w stanie się obronić – szczęście!

PODZIĘKOWANIA

Ogromne podziękowania należą się mojej żonie Miriam, która i tym razem wielokrotnie przedzierała się przez nieukończony rękopis i dokonywała krytycznej oceny moich myśli przelanych na papier. Moje dzieci Carina i Tobias odświeżały mi wspomnienia, kiedy znowu popadałem w zadumę przed pustym ekranem komputera i nie mogłem sobie przypomnieć jakiejkolwiek anegdoty, których przecież tyle było na podorędziu – dzięki, kochani! Zespół z wydawnictwa Ludwig Verlag opracował najpierw koncepcję książki (o tak, mnie się w głowie kłębiło tyle pomysłów, że można by z nich zrobić trzy tomy), bym mógł nakreślić tematycznie spójny obraz zwierząt – dziękuję! Ostatni szlif tekstowi nadała Angelika Lieke, która zwróciła mi uwagę na powtórzenia, nielogiczne zdania oraz niezrozumiałości i w ten sposób po raz kolejny poprawiła jego czytelność. Nie chciałbym też zapomnieć o moim agencie Larsie Schultze-Kossacku, który nawiązał kontakty z wydawnictwem i stale dodawał mi otuchy, gdy żywiłem zasadnicze wątpliwości, czy w ogóle coś z tego będzie (jak w przypadku książki o sekretnym życiu drzew, przy której również bardzo się wahałem). I wreszcie chciałbym podziękować Maxi, Schwänli, Vito, Zipy, Bridgi i wszystkim pozostałym czworonożnym i dwuskrzydłym pomocnikom, którzy pozwolili mi uczestniczyć w ich bogatym życiu i koniec końców opowiedzieli te wszystkie historie, które mogłem dla was, drogie Czytelniczki i drodzy Czytelnicy, przetłumaczyć.

PRZYPISY

[1] N. Simon, *Freier Wille – eine Illusion?*, Stern.de, 14 IV 2008, http://www.stern.de/wissenschaft/mensch/617174.html, dostęp: 29 X 2015.

[2] https://www.mcgill.ca/newsroom/channels/news/squirrels-show-softer-side-adopting-orphans-163790, dostęp: 29 X 2015.

[3] http://www.welt.de/vermischtes/kurioses/article13869594/Bulldogge/adoptiert-sechs-WEildschwein-Frischlinge.html, dostęp: 30 X 2015.

[4] http://www.spiegel.de/panorama/ungewoehnliche-mutterschaft-huen-din-saeugt-14-ferkel-a-784291.html, dostęp: 1 XI 2015.

[5] A. DeMelia, *The tale of Cassie and Moses*, „The Sun Chronicle", 5 IX 2011, http://www.thesunchronicle.com/news/the-tale-of-cassie-and-moses/article_e9d792d1-c55a-51cf-9739-9593d39a8ba2.html, dostęp: 5 IX 2011.

[6] A. Joel, *Mit diesem Delfin stimmt etwas nicht*, „Die Welt", 26 XII 2011, http://www.welt.de/wissenschaft/umwelt/article13782386/Mit-diesem-Delfin-stimmt-etwas-nicht.html, dostęp: 30 XI 2015.

[7] http://user.medunigraz.at/helmut.hinghofer-szalkay/XVI.6.htm, dostęp: 19 X 2015.

[8] G. Stockinger, *Neuronengeflüster im Endhirn*, „Der Spiegel" 2011, nr 10, s. 112–114.

[9] J.S. Feinstein i in., *The Human Amygdala and the Induction and Experience of Fear*, „Current Biology" 2011, nr 21, s. 34–38.

[10] M. Portavella i in., *Avoidance Response in Goldfish. Emotional and Temporal Involvement of Medial and Lateral Telencephalic Pallium*, „The Journal of Neuroscience", 3 III 2004, s. 2335–2342.

[11] H. Breuer, *Die Welt aus der Sicht einer Fliege*, „Süddeutsche Zeitung", 19 maja 2010, http://www.sueddeutsche.de/panorama/forschung-die-welt-aus-sicht-einer-fliege-1.908384, dostęp: 20 X 2015.

[12] http://www.spiegel.de/wissenschaft/natur/angelprofessor-robert-ar-linghaus-ueber-den-schmerz-der-fische-a-920546.html, dostęp: 11 XI 2015.

[13] M. Evers, *Leiser Tod im Topf*, „Der Spiegel" 2015, nr 52, s. 120.

[14] T. Stelling, *Do lobsters and other invertebrates feel pain? New research has some answers*, „The Washington Post", 10 III 2014, https://www.washingtonpost.com/national/health-science/, dostęp: 19 XII 2015.

[15] J. Dugas-Ford i in., *Cell-type homologies and the origins of the neocortex*, „Proceedings of the National Academy of Sciences", 16 X 2012, t. 109, nr 42, s. 16 974–16 979.

[16] C.R. Reid i in., *Slime mold uses an externalized spatial "memory" to navigate in complex environments*, „Proceedings of the National Academy of Sciences", doi: 10.1073/pnas.1215037109.

[17] http://www.daserste.de/information/wissen-kultur/wissen-vor-acht-zukunft/sendung-zukunft/2011/schleimpilze-sind-schlauer-als-ingenieu-re-100.html, dostęp: 13 X 2015.

[18] http://www.statista.com/statistik/daten/studie/157728/umfrage/jahresstrecken-von-schwarzwild-in-deutschland-seit-1997-98/, dostęp: 28 XI 2015.

[19] E. Boddereas, *Schweine sprechen ihre eigene Sprache. Und bellen*, Welt.de, 15 I 2012, http://www.welt.de/wissenschaft/article13813590/ Schweine-sprechen-ihre-eigene-Sprache-Und-bellen.html, dostęp: 29 XI 2015.

[20] http://www.welt.de/print/wams/lifestyle/article13053656/Die-grossen-Schwindler.html, dostęp: 19 X 2015.

[21] http://www.ijon.de/elster/verhalt.html, dostęp: 3 XII 2015.

[22] http://www.nationalgeografic.de/aktuelles/ist-der-fuchs-wirklich-so-schlau-wie-sein-ruf, dostęp: 21 I 2016.

[23] R.C. Shaw, N.S. Clayton, *Careful cachers and prying pilferers. Eurasian jays (Garrulus glandarius) limit auditory information available to competitors*, „Proceedings of the Royal Society B", 5 XII 2012, doi: 10.1098/rspb.2012.2238, http://dx.doi.org/10.1098/rspb.2012.2238, dostęp: 1 I 2016.

[24] A. Gentner, *Die Typen aus dem Tierreich*, „GEO" 2016, nr 2, s. 46–57.

[25] C. Turbill i in., *Regulation of heart rate and rumen temperature in red deer. Effects of season and food intake*, „Journal of Experimental Biology" 2011, nr 214, s. 963–970.

[26] *Persönlichkeitsunterschiede. Für Rothirsche wird soziale Dominanz in mageren Zeiten ganz schön teuer*, Presseinformation der Veterinärmedizinischen Universität Wien, 18 IX 2013.

[27] *Wenn Bienen den Heimweg nicht finden*, Pressemitteilung der Freie Universität Berlin, 20 III 2014, nr 092.

[28] S. Klein, *Die Biene weiß, wer sie ist*, „Zeit Magazin", 25 II 2015, nr 2, http://www.zeit.de/zeit-magazin/2015/02/bienen-forschung-randolf-menzel, dostęp: 9 I 2016.

[29] Tamże.

[30] http://www.tagesspiegel.de/berlin/fraktur-berlin-bilder-aus-der-kaiserzeit-vom-pferd-erzaehlt/10694408.html, dostęp: 2 IX 2015.

[31] A. Lebert, C. Wüstehagen, *In Gedanken bei den Vögeln*, „Zeit Wissen" 2015, nr 4, http://www.zeit.de/zeit-wissen/2015/04/hirnfroschung-tauben-onur-guentuerkuen, dostęp: 4 XII 2015.

[32] http://www.spiegel.de/video/rodelvogel-kraehe-auf-schlittenfahrt-video-1172025.html, dostęp: 16 XI 2015.

[33] A. Jeschke, *Zu welchen Gefühlen Tiere wirklich fähig sind*, http://www.welt.de/wissenschaft/umwelt/article137478255/Zu-welchen-Gefuehlen-Tiere-wirklich-faehig-sind.html, dostęp: 10 VIII 2015.

[34] H. Cerruti, *Clevere Jagdgefährten*, „NZZ Folio", VI 2008, http://folio.nzz.ch/2003/juli/clevere-jagdgefaehrten, dostęp: 19 X 2015.

[35] http://www.daserste.de/information/wissen-kultur/w-wie-wissen/sendung/raben-100.html, dostęp: 19 X 2015.

[36] http://www.swr.de/odysso/-/id=1046894/nid=1046894/did=8770472/18ha14o/index.html, dostęp: 21 X 2015.

[37] M. Plüss, *Die Affen der Lüfte*, „Die Zeit", 21 VI 2007, nr 26.

[38] D.M. Broom i in., *Pigs learn what a mirror image represents and use it to obtain information*, „Animal Behaviour", t. 78, nr 5, XI 2009, s. 1037–1041.

[39] http://www.mcgill.ca/newsroom/channels/news/squirrels-show-softer-side-adopting-orphans-163790, dostęp: 29 X 2015.

[40] M. Kneppler, *Auswirkungen des Forst- und Alpwegebaus im Gebirge auf das dort lebende Schalenwild und seine Bejagbarkeit*, praca końcowa kursu uniwersyteckiego: gospodarka łowiecka, Universität für Bodenkultur, Wien, 2013/2014, s. 7.

⁴¹ S. Hermann, *Peinlich*, „Süddeutsche Zeitung", 30 V 2008, http://www.sueddeutsche.de/wissen/schamgefuehle-peinlich-1.830530, dostęp: 3 I 2016.

⁴² A. Steiner, D. Redish, *Behavioral and neurophysiological correlates of regret in rat decision-making on a neuroecnomic task*, „Nature Neuroscience", 8 VI 2014, nr 17, s. 995–1002.

⁴³ *Glauben Sie niemals Ihrem Hund*, Taz.de, 27 II 2014, http://www.taz.de/!5047509, dostęp: 13 I 2016.

⁴⁴ F. Range i in., *The absence of reward induces inequity aversion in dogs*, „Proceedings of the National Academy of Sciences", 6 I 2009, nr 106, s. 340–345, doi: 10.1073.

⁴⁵ J.J.M. Massen i in., *Tolerance and reward equity predict cooperation in ravens (Corvus corax)*, „Scientific Reports" 2015, nr 5, doi: 10.1038/srep15021.

⁴⁶ I. Ganguli, *Mice show evidence of empathy*, „The Scientist", 30 VI 2006, http://www.the-scientist-com/?articles.view/articleNo/24101/title/Mice-show-evidence-of-empathy/, dostęp: 18 X 2006.

⁴⁷ L.J. Martin i in., *Reducing Social Stress Elicits Emotional Contagion of Pain in Mouse and Human Strategies*, „Current Biology" 2015, doi: 10.1016/j.cub.2014.11.028.

⁴⁸ B. Kollmann, *Gemeinsam glücklich*, „Berliner Morgenpost", 2 II 2015, http://www.morgenpost.de/printarchiv/wissen/article137015689/Gemeinsam-gluecklich.html, dostęp: 30 XI 2015.

⁴⁹ S. Kaufmann, *Spiegelneuronen*, [w:] *Alles Nerven-Sache – wie Reize unser Leben steuern*, program „Planet Wissen", 7 XI 2014, ARD.

⁵⁰ http://www.wissenschaft-aktuell.de/artikel/Auch_Bakterien_verhalten_sich_selbstlos_zum_Wohl_der_Gemeinschaft1771015587059.html, dostęp: 25 X 2015.

⁵¹ G.G. Carter, G.S. Wilkinson, *Food sharing in vampire bats. Reciprocal help predicts donations more than relatedness or harassment*, „Proceedings of the Royal Society B" 2013, doi: 280:20122573, http://dx.doi.org/10.1098/rspb.2012.2573, dostęp: 26 X 2015.

⁵² http://www.zeit.de/wissen/umwelt/2014-06/tierhaltung-eolf-hybrid-hund, dostęp: 16 VIII 2015.

⁵³ I. Lehnen-Beyel, *Warum sich ein Wolf niemals zähmen lässt*, „Die Welt", 20 II 2013, http://www.welt.de/wissenschaft/article112871139/ Warum-sich-ein-Wolf-niemals-zaehmen-laesst.html, dostęp: 7 XII 2015.

⁵⁴ http://www.schwarzwaelder-bote.de/inhalt.schramberg-rehbock-greift-zwei-frauen-an.9b8b147b-5ba7-4291-bbd7-c21573c6a62c.html, dostęp: 16 VIII 2015.

55   http://www.kaninchen-info.de/verhalten/kot_fressen.html, dostęp: 20 XII 2015.

56   *Warum Katzen keine Naschkatzen sind*, Scinexx.de, http://www.scinexx.de/dossier-detail-607-9.html, dostęp: 14 I 2016.

57   U. Gebhardt, *Der mit den Füßen schmeckt*, Zeit Online, 1 V 2012, http://www.zeit.de/wissen/umwelt/2012-04/tier-schmetterling, dostęp: 14 I 2016.

58   H. Derka, *Weil das Stinken so gut riecht*, Kurier.at, http://kurier.at/thema/tiercoach/weil-das-stinken-so-gut-riecht/62.409.723, dostęp: 6 X 2015.

59   http://www.canosan.de/wurmbefall.aspx, dostęp: 21 IX 2015.

60   http://www.spiegel.de/panorama/suedafrika-loewen-zerfleischen-ihre-beute-zwischen-autofahrern-a-1043642.html, dostęp: 4 IX 2015.

61   M. Petrak, *Rotwild als erlebbares Wildtier – Folgerungen aus dem Pilotprojekt Monschau-Elsenborn für den Nationalpark Eifel. Von der Jagd zur Wildbestandsregulierung*, „NUA-Heft", V 2004, nr 15, s. 19.

62   http://www.welt.de/welt_print/wissen/article5842358/Wenn-der-Schreck-ins-Erbgut-faehrt.html, dostęp: 9 XII 2015.

63   D. Spengler, *Gene lernen aus Stress*, [w:] *Forschungsbericht 2010*, Max-Planck-Institut für Psychiatrie, Monachium, https://www.mpg.de/431776/forschungsSchwerpunkt, dostęp: 9 XII 2015.

64   *Stockholm-Syndrom. Wenn das Gute zum Bösen wird*, „Der Spiegel", 24 VIII 2006.

65   R. Lattwein, *Bienen – Artenvielfalt und Wirtschaftsleistung*, Ökologisches Schulland Spohns-Haus, Saarland, Ministerium für Umwelt, Saarbrücken 2008, s. 8.

66   http://www.sueddeutsche.de/panorama/braunbaerinnen-sex-mit-vielen-maennchen-1.857685, dostęp: 10 X 2015.

67   *Rats dream about their tasks during slow wave sleep*, MIT news, 18 V 2001, http://news.mit.edu/2002/dreams, dostęp: 17 I 2016.

68   M. Jouvet, *The states of sleep*, „Scientific American" 1967, nr 216 (2), s. 62–68, https://sommeil.univ-lyon1.fr/articles/jouvet/scientific_american/contents.php, dostęp: 17 I 2016.

69   H. Breuer, *Die Welt aus der Sicht einer Fliege*, „Süddeutsche Zeitung", 19 V 2010, http://www.sueddeutsche.de/panorama/forschung-die-welt-aus-sicht-einer-fliege-1.908384, dostęp: 20 X 2015.

70   E. Maier, *Frühwarnsystem auf vier Beinen*, „Max-Planck-Forschung" 2014, nr 1, s. 58–63.

71   G. Berberich, U. Schreiber, *GeoBioScience. Red Wood Ants as Bioindicators for Active Tectonic Fault Systems in the West Eifel (Germany)*, „Animals" 2013, nr 3, s. 475–498.

[72] http://www.gutenberg-gesundheitsstudie.de/ghs/uebersicht.html, dostęp: 4 X 2015.

[73] G.A. Henning, *Falter tragen wieder hell*, Zeit Online, 30 X 1970.

[74] A. Lebert, C. Wüstenhagen, *In Gedanken bei den Vögeln*, „Zeit Wissen" 2015, nr 4, http://www.zeit.de/zeit-wissen/2015/04/hirnforschung-tauben-onur-guentuerkuen, dostęp: 22 II 2016.

[75] G. Holz, *Sinne des Hundes, Hundeschule wolf-inside*, 2011, http://www.wolf-inside.de/pdf/Visueller-Sinn.pdf, dostęp: 10 X 2015.

[76] L. Reggentin, *Das Wunder der Bärtierchen*, „National Geographic Deutschland", http://www.nationalgeographic.de/aktuelles/das-wunder-der-baertierchen, dostęp: 29 IX 2015.

[77] *Das Anthropozän – Erdgeschichte im Wandel*, http://www.dw.com/de/das-anthropozän-erdgeschichte-im-wandel/a-16596966, dostęp: 26 XI 2015.

[78] http://www.gdv.de/2014/10/zahl-der-wildunfaelle-sinkt-leicht/, dostęp: 10 XII 2015.

[79] P. Werner, R. Zahner, *Biologische Vielfalt und Städte. Eine Übersicht und Bibliographie*, „BfN-Scripten" 245, Bonn-Bad Godesberg 2009.

[80] C. Hucklenbroich, *Ziemlich alte Freunde*, „FAZ Wissen", 28 V 2016, http://www.faz.net/aktuell/wissen/natur/mensch-und-haushund-ziemlich-alte-freunde-13611336.html, dostęp: 19 I 2016.

[81] http://tu-dresden.de/die_tu_dresden/fakultaeten/fakultaet_wirtschafts-wissenschaften/bwl/marketing/lehre/lehre_pdfs/Mueller_IM_G1_Kommunikation.pdf, dostęp: 16 XI 2015.

[82] S. Pika, *Schau Dir das an. Raben verwenden hinweisende Gesten*, [w:] Forschungsbericht 2012 – Max-Planck-Institut für Ornithologie, https://www.mpg.de/4705021/Raben_Gesten?c=5732343&force_lang=de, dostęp: 16 XI 2015.

[83] E.F. Briefer i in., *Segregation of information about emotional arousal and valence in horse whinnies*, „Scientific Reports" 2015, nr 4, art. nr 9989, http://www.nature.com/articles/srep09989, dostęp: 14 XI 2015.

[84] https://www.ethz.ch/de/news-und-veranstaltungen/eth-news/news/2015/05/wiehern-nicht-gleich-wiehern.html.

[85] http://www.koko.org.

[86] http://www.sueddeutsche.de/wissen/tierforschung-die-intelligenz-bestien-1.912287-3, dostęp: 28 XII 2015.

[87] J.C. Hu, *What do Talking Apes Really Tell Us?*, http://www.slate.com/articles/health_and_science/science/2014/08/koko_kanzi_and_ape_language_research_criticism_of_working_conditions_and.single.html, dostęp: 28 XII 2015.

[88] http://www.duden.de/rechtschreibung/Seele#Bedeutung1, dostęp: 9 IX 2015.

[89] T. Goschke, *Kognitionspsychologie. Denken, Problemlösen, Sprache*, prezentacja w programie PowerPoint w semestrze letnim 2013, moduł A1: Procesy kognitywne.

[90] http://www.agrarheute.com/news/eu-ranking-diese-laender-schlachten-meisten-schweine, dostęp: 23 XII 2015.

Wydawnictwo Otwarte sp. z o.o.,
ul. Smolki 5/302, 30-513 Kraków. Wydanie I, 2017.
Druk: CPI Moravia Books